SNEAKERS LE GUIDE COMPLET DES ÉDITIONS LIMITÉES

adidas
K.Abdul Jabbar
NIKEiD.
8.5
FootSoldier
adidas
OFFICIAL
TRAINING
MEN
HTM AIR WOVEN RAINBOW
AIR JORDAN 4 RETRO
reebok
RUN DMC
adidas
Made in France
BROUGHAM LO
HTM AIR WOVEN RAINBOW
WALKING
adidas
AIR JORDAN 4 RETRO
SUPERSTAR VIN
REVAN 3 HI OKINI
LACOSTE
adidas
8.0
K-SWISS
MY ADIDAS
LACOSTE
www.lacoste.com
CONVERSE
WWW.NIKE.COM
VANS
CLS SLIP-ON LX
adidas
Reebok
NIZZA HI
MEN
Tennis
DI Pump Low
10 USA
Made in KOREA
pump
Reebok
PRO-Keds
PONY
adidas
adidas
ZX 700 BOAT MAMMOTH
Prime Olympics
#1110
AIR CURRENT

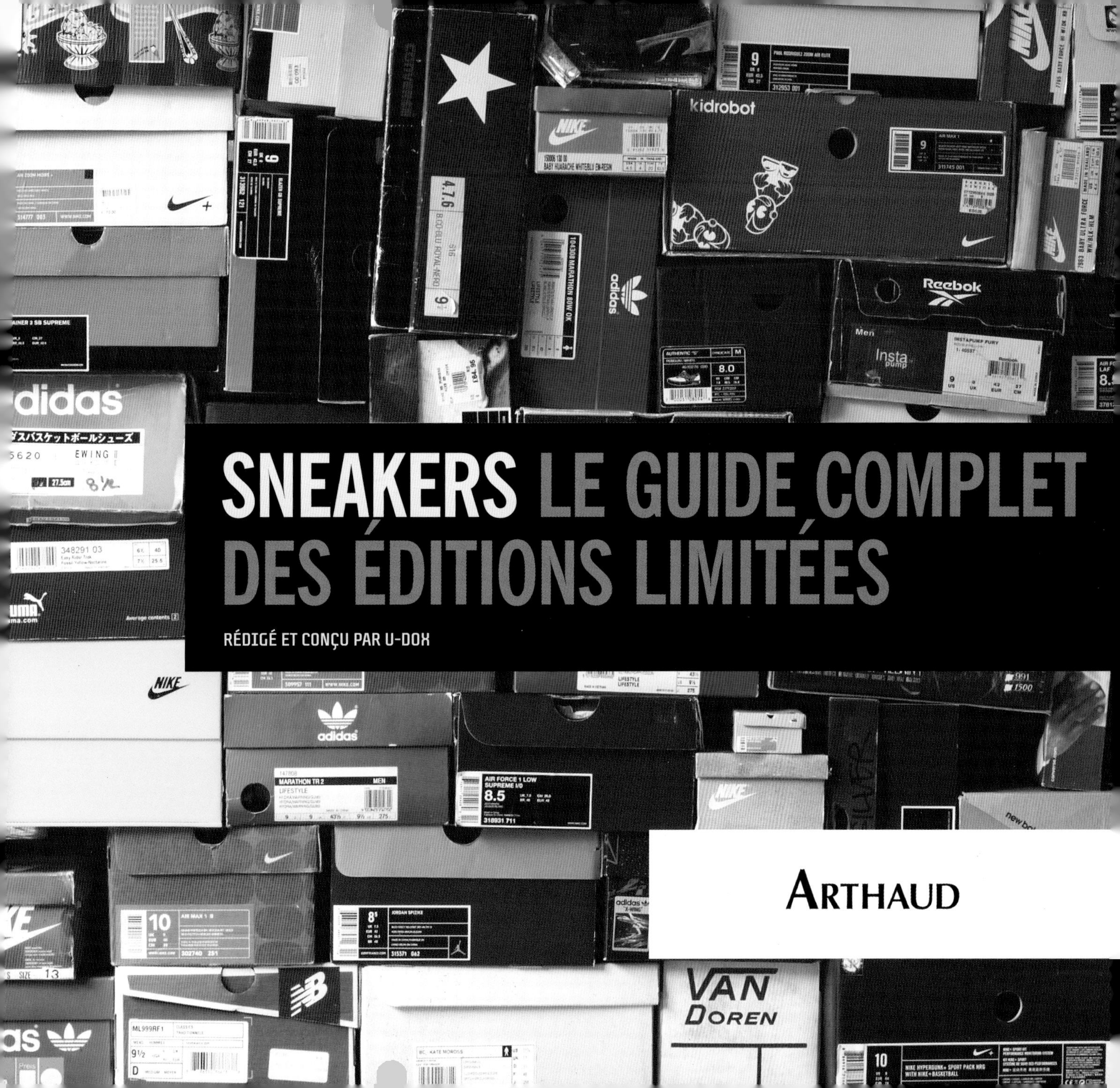

SNEAKERS LE GUIDE COMPLET DES ÉDITIONS LIMITÉES

RÉDIGÉ ET CONÇU PAR U-DOX

ARTHAUD

Publié pour la première fois en 2014 par Thames & Hudson Ltd,
181A High Holborn, London WC1V 7QX

82, rue Saint-Lazare
CS 10124
75009 Paris

ISBN : 978-2-0813-4841-7
N° d'édition : L.01EBNN000367.A004

Imprimé et relié en Chine par Toppan Leefung Printing Limited.

Traduction : Christine Mignot
Adaptation de la maquette : Caroline Fortoul

SOMMAIRE

8-9 Introduction

ADIDAS

10-11 adidas – Histoire de la marque
12 Top Ten x Undefeated x Estevan Oriol 1979
13 Superskate x Crooked Tongues
14 Forum Mid All-Star Weekend Arizona 2009
15 Forum Hi x Frank The Butcher 'Crest Pack'
16-17 Superstar '35th Anniversary' series
18 Superstar Vintage 'Top Secret'
19 Superstar 80s x Run-DMC
20 Superstar 80s 'B-Sides' x A Bathing Ape
21 Campus 80s x A Bathing Ape x Undefeated
22-23 Campus 80s x Footpatrol
24 adiZero Primeknit 'London Olympic'
25 SLVR Primeknit Campus
26 adicolor Lo Y1 x Twist for Huf
27 'Oktoberfest' & 'VIP' München x Crooked Tongues
28 Gazelle 'Berlin' x Neighborhood
29 Rod Laver Vintage x Mita Sneakers
30 Stan Smith Vintage x No74 x No6
31 Rod Laver Super x oki-ni 'Nile Carp Fish'
32 ZX 500 x Shaniqwa Jarvis
33 ZX 500 x Quote
34 RMX EQT Support Runner x IRAK
35 ZX 8000 x Mita Sneakers
36 Superstar 1 x *Star Wars* '30th Anniversary'
37 Superstar 80s & ZX 8000 G-SNK x Atmos
38 ZX 9000 x Crooked Tongues
39 ZX 8000 x Jacques Chassaing & Markus Thaler
40 Training 72 NG x Noel Gallagher
41 Immotile x Brooklyn Machine Works
42 JS Bear x Jeremy Scott
43 JS Wings x Jeremy Scott
44-45 Samba x Lionel Messi/Pro Shell x Snoop Dogg 'Snooperstar'

ASICS

46-47 ASICS – Histoire de la marque
48 Onitsuka Tiger Fabre BL-L 'Panda ' x Mita Sneakers
49 Gel-Lyte III 'Selvedge Denim' x Ronnie Fieg
50 Gel-Saga II 'Mazarine Blue' x Ronnie Fieg
51 GT-II 'Super Red 2.0' x Ronnie Fieg
52 GT-II 'Olympic Team Netherlands'
53 Gel-Lyte III x Hanon 'Wildcats'
54 Gel-Lyte III x Alife Rivington Club
55 Gel-Lyte III x Slam Jam '5th Dimension'
56 GT-II x SNS 'Seventh Seal'
57 GT-II PROPER
58 Gel-Saga II x Footpatrol
59 Gel-Lyte III x Patta

CONVERSE

60-61 Converse – Histoire de la marque
62-63 Chuck Taylor All Star 'Clean Crafted' x Offspring
64 (Product)Red Chuck Taylor All Star Hi
65 Chuck Taylor All Star TYO Custom Made Hi x Mita Sneakers
66 Pro Leather Mid & Ox x Bodega
67 Pro Leather Mid x Stüssy New York
68 Pro Leather Mid & Ox x Footpatrol
69 Pro Leather Mid & Ox x Patta
70 Pro Leather Mid & Ox x CLOT
71 Pro Leather & Auckland Racer x Aloha Rag
72 Converse x Missoni
73 All Star Lo x Reigning Champ
74 Pro Leather x Jordan Brand
75 Asymmetrical All Star Ox & One Star Ox x Number (N)ine

NEW BALANCE

76-77 New Balance – Histoire de la marque
78-79 New Balance x Offspring
80 M577 'Black Sword' x Crooked Tongues & BJ Betts
81 M1500 'Blackbeard' x Crooked Tongues & BJ Betts
82 M1500 x Crooked Tongues x Solebox
83 New Balance x Solebox 'Purple Devils'

SOMMAIRE

84 M576 x Footpatrol
85 ML999 'Steel Blue' x Ronnie Fieg & M1300 'Salmon Sole' x Ronnie Fieg
86 M1500 'Chosen Few' x Hanon
87 M576 x House 33 x Crooked Tongues
88 MT580 '10th Anniversary' x realmadHECTIC x Mita Sneakers
89 M1500 x La MJC x Colette
90 MT580 x realmadHECTIC
91 CM1700 x WHIZ LIMITED x Mita Sneakers
92 CM1500 & MT580 x La MJC x Colette x Undefeated
93 M1500 'Toothpaste' x Solebox
94-95 M577 x SNS x Milkcrate

NIKE

96-97 Nike – Histoire de la marque
98 Cortez Premium x Mark Smith & Tom Luedecke
99 Air Rift x Halle Berry
100 Air Huarache 'ACG Mowabb Pack'
101 Air Huarache Light x Stüssy
102 Free 5.0 Premium & Free 5.0 Trail x Atmos
103 Air Flow x Selfridges
104-105 Air Presto Promo Pack 'Earth, Air, Fire, Water'
106 Air Presto x Hello Kitty/'Hawaii ÉDITION' x Sole Collector
107 Air Presto Roam x HTM
108 Air Footscape Woven Chukka x Bodega
109 Air Footscape Woven x The Hideout
110 Air Woven 'Rainbow' x HTM
111 Lunar Chukka Woven Tier Zero
112-113 Air Max 1 x Atmos
114 Air Max 1 x Kidrobot x Barneys
115 Air Max 1 NL Premium 'Kiss of Death' x CLOT
116-117 Air Max x Patta
118 Air Max 90 'Tongue N' Cheek' x Dizzee Rascal x Ben Drury
119 Air Max 90 x KAWS
120 Air Max 90 x DQM 'Bacons'
121 Air Max 90 Current Huarache x DQM
122 Air Max 90 Current Moire Quickstrike
123 Nike x Ben Drury
124 Air Max 95 'Prototype' x Mita Sneakers
125 Air 'Neon Pack' x Dave White
126 Air 180 x Opium
127 Lunar Air 180 ACG x Size?
128 Air Force 180 x Union
129 Air Max 97 360 x Union 'One Time Only'
130 Air Burst x Slim Shady
131 Air Max 1 x Slim Shady
132 Air Stab x Footpatrol
133 Air Stab x Hitomi Yokoyama
134 Air Classic BW & Air Max 95 x Stash
135 Air Force II x ESPO
136-137 Air Force 1 Modèles en édition limitée et issus de collaboration
138 Air Force 1 Foamposite 'Tier Zero'
139 Air Foamposite One 'Galaxy'
140 Blazer x Liberty
141 SB Blazer x Supreme
142 Vandal x Apartment Store 'Berlin'
143 Vandal Supreme 'Tear Away' x Geoff McFetridge
144 Tennis Classic AC TZ 'Museum' x CLOT
145 Lunarwood+ x Wood Wood
146 Dunk ÉDITIONs
147 Dunk SB ÉDITIONs
148-149 Dunk Pro SB What The Dunk
150 Zoom Bruin SB x Supreme
151 Air Trainer II SB x Supreme
152-153 Flyknit x HTM
154-155 Air Yeezy x Kanye West
156-157 Air Mag

AIR JORDAN

158-159 Air Jordan – Histoire de la marque
160 Air Jordan I Retro High Strap 'Sole to Sole'
161 Air Jordan I Retro High '25th Anniversary'
162 Air Jordan I Retro High Ruff N Tuff 'Quai 54'
163 Air Jordan II 'Carmelo'
164 Air Jordan III 'Do The Right Thing'
165 Air Jordan III White 'Flip'
166 Air Jordan IV Retro Rare Air 'Laser'
167 Air Jordan IV 'Mars Blackmon'
168 Air Jordan V Retro Rare Air 'Laser'
169 Air Jordan V Retro 'Quai 54'
170 Air Jordan V 'Green Beans'
171 Air Jordan V T23 'Japan Only'
172-173 Air Jordan I 'Wings for the Future' x Dave White

PUMA

174-175 Puma – Histoire de la marque
176 States x Solebox
177 Clyde x Mita Sneakers
178 Clyde x *Yo! MTV Raps*

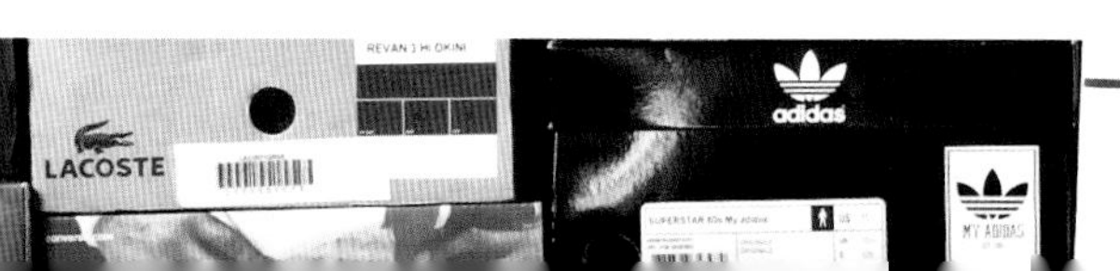

179 Clyde x *Yo! MTV Raps* (Promo)
180 Clyde x Undefeated 'Gametime'
181 Clyde x Undefeated 'Snakeskin'
182 Suede Classic x Shinzo 'Usain Bolt'
183 Suede Cycle x Mita Sneakers
184 R698 x Classic Kicks
185 Puma x Shadow Society
186 Disc Blaze OG x Ronnie Fieg
187 Disc Blaze LTWT x Beams
188 Dallas 'Bunyip' Lo x *Sneaker Freaker*
189 Blaze of Glory x Hypebeast

REEBOK

190-191 Reebok – Histoire de la marque
192 Classic Leather x Mita Sneakers
193 Classic Leather Mid Strap Lux x Keith Haring
194 Workout Plus '25th Anniversary' ÉDITIONs
195 Insta Pump Fury x Mita Sneakers
196 Ex-O-Fit x CLUCT x Mita Sneakers
197 Ice Cream Low x Billionaire Boys Club
198 Court Force Victory Pump x Alife 'The Ball Out'
199 Pump Omni Lite x 'Marvel' Deadpool
200 Question Mid x Undefeated
201 Pump Omni Zone LT x Solebox

VANS

202-203 Vans – Histoire de la marque
204 Classic Slip-On Lux x Marc Jacobs
205 Classic Slip-On x CLOT
206-207 Syndicate x WTAPS
208-209 Vans x *The Simpsons*
210 Vans x Kenzo
211 Authentic Pro x Supreme x Comme des Garçons SHIRT
212-213 Vault Major League Baseball Collection
214 Authentic Pro & Half Cab Pro x Supreme 'Campbell's Soup'
215 Era x Colette x Cobrasnake
216 Sk8-Hi x Supreme x Bad Brains
217 Vans x Bad Brains
218 Sk8 x Supreme 'Public Enemy'
219 Authentic Syndicate x Mr Cartoon
220 Syndicate x WTAPS No Guts No Glory Sk8-Hi
221 Sk8-Hi & Era x Supreme x Ari Marcopoulos
222 Syndicate Chukka Lo x Civilist
223 Era x Alakazam x Stüssy
224 Vault Era LX x Brooks
225 Half Cab 20 x Supreme x Steve Caballero

SANS OUBLIER…

226-227 Sans oublier… – Introduction
228 Lacoste Missouri x Kidrobot
229 Le Coq Sportif Éclat x Footpatrol
230 A Bathing Ape Bapesta x Marvel Comics
231 A Bathing Ape Bapesta x Neighborhood
232 Saucony Shadow 5000 x Bodega 'Elite'
233 Fila Trailblazer x Footpatrol
234 PRO-Keds Royal Master DK 'Hunting Plaid' x Woolrich
235 PRO-Keds Royal Lo x Patta
236 PRO-Keds 69er Lo x Biz Markie
237 Pony Slam Dunk Vintage x Ricky Powell
238-239 Pony M100 x Dee & Ricky

LES COLLABORATEURS

240 Les collaborateurs – Introduction
241 HTM/Mr Cartoon
242 Dave White/Ronnie Fieg
243 Hanon Shop/Footpatrol
244 A Bathing Ape/Stüssy
245 Supreme/Undefeated
246 Mita Sneakers/CLOT
247 Patta/Sneakersnstuff
248 Crooked Tongues/Solebox
249 Ben Drury/Bodega

250-251 Anatomie d'une basket
252-253 Glossaire technique
254 Remerciements
255-256 Index

INTRODUCTION

Depuis la sortie de *Sneakers: The Complete Collectors' Guide* (*Baskets : Le guide complet des collectionneurs*) en 2005, les baskets sont passées au premier plan de la culture populaire, cimentant leur statut d'élément de base de la mode au quotidien et de pierre angulaire d'une industrie internationale de plusieurs milliards de dollars.

En moins de dix ans, un nombre considérable de magasins de baskets ont ouvert leurs portes, des sites Internet ont été lancés, des blogs écrits, les expositions de baskets se sont multipliées et des « stars » des baskets sont nées. Les chaussures de sport ont transcendé leur objectif d'origine et sont maintenant portées avec fierté par toute une série de sous-cultures.

Loin d'être un phénomène localisé, cette passion croissante pour les baskets et la culture les entourant a rapidement gagné toute la planète.

Cette obsession a été alimentée par des avancées technologiques qui permettent maintenant d'accéder à toutes sortes d'informations sur les produits en appuyant sur une touche de clavier ou en effleurant un écran. Bien qu'elle soit née dans des centres urbains tels que New York, Londres et Tokyo, la culture des baskets est aujourd'hui partout. Même dans les villes plutôt isolées, on trouve des boutiques spécialisées devant lesquelles on peut voir des passionnés de baskets endormis, attendant pour s'acheter les tout derniers modèles dès l'ouverture.

Le *Collectors' Guide* de 2005 se voulait la référence indispensable pour les passionnés ou collectionneurs de baskets et, en tant que tel, il s'intéressait à la tendance naissante des marques à revisiter des modèles classiques, travaillant souvent avec des collaborateurs créatifs. Depuis lors, des centaines d'éditions limitées et de collaborations remarquables ont envahi les rayons.

C'est précisément cette explosion de créativité qui constitue le cœur de ce second volume.

Comme pour le *Collectors' Guide*, il aurait été impossible d'inclure dans ce volume toutes les éditions limitées sorties depuis 2005 – un nombre impressionnant de nouveaux produits ayant été lancés tous les ans. Nous avons donc choisi de sélectionner des baskets ayant eu un impact global : soit parce qu'elles furent très recherchées, soit en raison de leur exclusivité.

Des modèles uniques, comme la New Balance M576 x House 33 x Crooked Tongues (page 87), aux Nike Air Foamposite One Galaxy (page 139) et Adidas ZX 8000 x Jacques Chassaing & Markus Thaler (page 39), quelques-uns des moments clés dans l'histoire des éditions limitées ont été choisis.

La révolution fut menée par les marques qui souhaitaient chambouler les règles du jeu et développer des produits nouveaux intéressants. De Nike travaillant avec les grands graffeurs de New York Futura (page 147) et Stash (page 134), à Adidas rendant les produits plus désirables et exclusifs encore grâce à sa collaboration avec les géants japonais du streetwear A Bathing Ape (pages 20-21), les marques ont saisi l'occasion de présenter leurs baskets de nouvelles manières. Dans ce cadre, elles se sont ouvertes à de nouveaux consommateurs dans des marchés encore inexploités.

Parallèlement, les mordus de baskets ont vu leur passion pour les chaussures de sport ravivée grâce aux rééditions de leurs modèles favoris avec de nouveaux coloris et matériaux, souvent en collaboration avec une personne qu'ils admirent.

L'autre élément crucial de cette équation réside sans aucun doute dans les collaborateurs eux-mêmes. Ils sont artistes, musiciens, « faiseurs de goût », gardiens

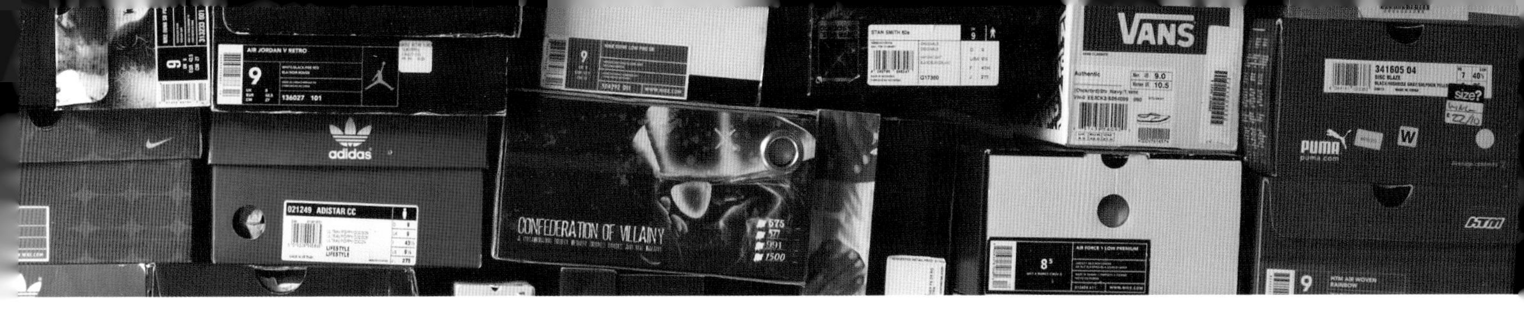

de la marque, propriétaires de magasins, éditeurs de magazines, bloggeurs, tatoueurs, photographes, athlètes, créateurs… leur variété est incroyable et leur nombre ne cesse d'augmenter.

IL Y A SIMPLEMENT PLUS DE PERSONNES DÉSIREUSES D'ACHETER CES BASKETS QUE DE PAIRES DISPONIBLES

Ils ont toutefois une chose en commun : leur amour des baskets. Et être approché par une marque avec la chance de raconter une histoire à travers une paire de chaussures, bien qu'il s'agisse de nos jours d'une activité assez courante, reste une expérience suffisamment palpitante pour que même les plus blasés des passionnés de baskets se laissent surprendre par toutes les possibilités en matière d'impression de couleur et de matériaux.

Le fait de raconter une histoire constitue également un élément clé de ce phénomène. Les consommateurs d'aujourd'hui, de plus en plus engagés et conscients, poussent les marques à accentuer leurs efforts pour attirer leur attention et susciter leur intérêt. Alors qu'auparavant un matériau audacieux et un coloris vif suffisaient, ces dernières années ont été marquées par une multiplication des modèles visant à traduire quelque chose d'aussi vague qu'un « concept » sous la forme d'une basket.

Des éditions telles que la Nike SB Pigeon Dunk (page 149), qui fait référence à la légendaire peste aviaire de New York, ou la Footpatrol Air Stab (page 132), qui reprend les couleurs des tissus des transports publics londoniens, racontent une histoire en appliquant des concepts aux chaussures de sport. Les possibilités d'interprétation créative sont sans limite. Les circuits de distribution ont également changé et le nombre de personnes intéressées par les chaussures de sport a considérablement augmenté. Des trentenaires accros aux chaussures qui se souviennent les yeux embués du bon vieux temps aux ados prêts à passer la nuit dehors pour s'acheter les toutes dernières Air Yeezy (page 154), la culture des baskets a vraiment quelque chose à offrir à tout le monde aujourd'hui.

La production de ces collections limitées sur un marché avide, bien informé et guidé par la mode est réglementée par l'une des lois économiques les plus basiques, celle de l'offre et de la demande. Il y a simplement plus de personnes désireuses d'acheter ces baskets que de paires disponibles et cela pousse les individus à employer des mesures extrêmes pour les obtenir, générant parallèlement un marché de revente actif avec des prix souvent excessifs.

Les gens dorment devant les magasins, font des projets, usent de persuasion et économisent pendant des mois pour s'acheter une paire unique. Une fois qu'ils l'ont, ils passent à la suivante. Si vous commencez à explorer la multitude de forums et de sites Internet dédiés aux baskets ou que vous vous introduisez dans les flux de conscience de la basket sur Twitter, l'ampleur réelle de cette obsession dans notre société devient claire. C'est essentiellement pour cette raison que nous pensons qu'il est maintenant temps de nous intéresser de nouveau à cette culture qui nous fascine et nous inspire au quotidien.

Nous avons à la fois ressenti du plaisir et de la frustration en réalisant ce second volume. Des arguments prévisibles pour choisir des chaussures aux défis de repérer certaines des baskets les plus rares jamais produites, ce travail a été véritablement passionnant.

Nous espérons que vous aurez autant de plaisir à lire ce livre que nous en avons eu à le réaliser.

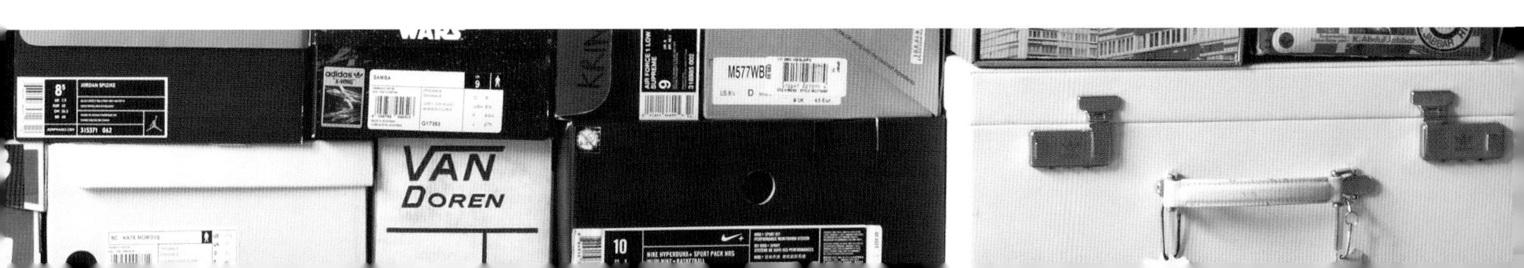

ADIDAS

Avec une histoire de la marque qui remonte à la première moitié du XXe siècle, la société allemande Adidas est depuis longtemps au premier plan des chaussures de sport et de toutes les sous-cultures qu'elle a inspirées.

À la fin des années 1980, la collaboration révolutionnaire entre Adidas et Run-DMC engendra toute une collection de baskets. Ce fut l'une des premières fois où une marque fit un effort sérieux pour trouver une nouvelle manière de commercialiser les baskets – Adidas fut sans doute une des premières marques à établir un lien fort avec la musique et en particulier le hip-hop. En témoignent les My adidas Run-DMC Superstar Vintage (page 19) qui commémorent le 25e anniversaire du morceau du groupe de rap sorti en 1986.

Depuis 2001, Adidas est également associé à la haute couture *via* sa collaboration avec Yohji Yamamoto pour la collection Y-3. Ces tentatives d'Adidas pour collaborer avec des partenaires sur des produits et oser des initiatives marketing l'ont aidé à se préparer aux changements à venir de l'industrie.

En 2003, la marque s'associa avec le magasin de baskets new-yorkais Alife pour revisiter les célèbres Top Ten. Cette version basse du modèle était présentée dans notre premier volume en marge des Top Ten originales – nous ne savions pas alors que nous nous intéressions au précurseur d'un impressionnant déluge de collaborations Adidas qui se poursuivraient encore jusqu'à aujourd'hui. Adidas possède un nombre incomparable de modèles de baskets qui changent la donne, répartis entre ses principales divisions. La gamme Performance favorise les développements technologiques, créant des chaussures qui mettent en valeur les actions d'un athlète. Les Adidas Original sont des modèles d'archive revisités d'une manière nouvelle et palpitante pour susciter de nouveau la passion du public. Ces éditions sont souvent classées « par niveaux », le plus haut niveau étant la gamme Consortium, née d'un désir d'accentuer l'exploration d'opportunités créatives et qui se situe à la pointe des projets de collaboration de la marque. Les récentes chaussures Consortium B-Sides furent particulièrement recherchées. Sans parler de la gamme Style qui inclut les vêtements décontractés SLVR. Au cours des dix dernières années, Adidas a collaboré avec un très grand nombre d'artistes et de personnalités influentes pour produire une série étonnamment variée de baskets cosignées, de collections complètes avec de célèbres créateurs de mode, tels que Jeremy Scott (pages 42-43) sous l'égide des Adidas Originals by Originals (ObyO), à des collaborations avec quelques-uns des acteurs clés de l'industrie, dont Undefeated (pages 12 et 21), Crooked Tongues (pages 13, 27 et 38), Footpatrol (pages 22-23) et A Bathing Ape (pages 20-21). Des modèles d'archive emblématiques, tels que les Campus, Superstar et plusieurs membres de la famille ZX ont été retravaillés de nombreuses fois, entraînant des interprétations des originaux tout aussi intéressantes que populaires.

ADIDAS TOP TEN x UNDEFEATED x ESTEVAN ORIOL '1979'

UN TRIO TOP TEN

Pour célébrer son modèle classique de 1979 dédié au basket-ball, la Top Ten, Adidas se rapprocha de l'un des premiers magasins spécialisés dans les baskets, Undefeated. Ce poids lourds californien fit honneur au modèle en lui appliquant une tige blanche texturée basket-ball, rehaussée d'accents plaqués or et de cuir supérieur, le tout terminé par une semelle translucide.

Pour incarner l'essence de la Top Ten, le fondateur d'Undefeated, James Bond, recourut aux talents du photographe Estevan Oriol pour réaliser un beau livre sur le basket de rue.

Le livre relié accompagnait les baskets dans une grande boîte noire au fond revêtu de parquet, limitée à six cent cinquante exemplaires.

INFORMATIONS

ÉDITION
Undefeated x Estevan Oriol 1979
ANNÉE DE SORTIE
2008
UTILISATION PREMIÈRE
Basket-ball
TECHNOLOGIE
Point de pivot; semelle à chevrons, haut de tige rembourré
PLUS
Livre illustré relié réalisé par Estevan Oriol; boîte spéciale

ADIDAS SUPERSKATE x CROOKED TONGUES

CROOKED ET LA TRADITION THAÏ

En 2007, le barbecue annuel organisé par le magasin en ligne de baskets Crooked Tongues eut lieu à Bangkok, en Thaïlande. Une série de collaborations commémorèrent cet événement, dont cette Adidas Superskate.

Seules trois cents paires furent fabriquées, avec une attention particulière portée aux détails afin que le modèle reflète le site thaïlandais.

La chaussure fut gardée unie afin de mettre l'accent sur ses textures, de la fausse peau d'éléphant étant utilisée pour les trois bandes sur un tissage caoutchouté, parallèlement à une tige en nubuck et cuir perforé pour une ventilation plus efficace.

La Superskate se distinguait également par une doublure en soie rouge, des accents de daim rouge et le slogan de Crooked Tongues, « Show love and drop knowledge » (Montre de l'amour et renonce au savoir), écrit en thaï sur le talon.

À la fois chics et pratiques, ces baskets furent proposées dans un sac en soie thaï de marque Crooked Tongues fermé par un cordon.

INFORMATIONS

ÉDITION
Crooked Tongues
ANNÉE DE SORTIE
2007
UTILISATION PREMIÈRE
Skateboard
TECHNOLOGIE
Panneaux latéraux multicouches renforcés ; semelle à chevrons ; renfort au niveau des orteils
PLUS
Sac en soie ; lacets de rechange

ADIDAS FORUM MID
ALL-STAR WEEKEND ARIZONA 2009

DES FORUM RÉSERVÉES À QUELQUES PRIVILÉGIÉS

Pour les NBA All-Star Games de 2009 en Arizona, Adidas sortit un modèle de Forum Mid très exclusif – cette édition fut uniquement offerte aux VIP lors du All-Star Weekend.

La chaussure se distinguait par un mélange de mesh, 3M, cuir blanc et accents de peau de serpent pour faire référence au désert de l'Arizona.

Le modèle blanc et bordeaux représentait la côte ouest, tandis qu'une édition blanc et bleu marine fut également lancée pour la côte est.

INFORMATIONS

ÉDITION
All-Star Weekend Arizona 2009
ANNÉE DE SORTIE
2009
UTILISATION PREMIÈRE
Basket-ball
TECHNOLOGIE
Renfort de talon extérieur; système de laçage entrecroisé à la cheville; fermeture par Velcro; point de pivot; multidisque; semelle intermédiaire Dellinger Web

ADIDAS FORUM HI X FRANK THE BUTCHER 'CREST PACK'

LES FORUM HI VERSION LUXE

Commercialisées pour la première fois en 1984, les Forum ont été revisitées plusieurs fois, mais la version montante d'origine a souvent été oubliée. En 2011, le créateur Frank The Butcher, basé à Boston, s'intéressa à ce modèle en s'associant avec Adidas Portland pour créer une série de Forum Hi fidèles aux originales.

S'inspirant des prostituées de sa ville natale qui portaient les Forum Hi pendant les années 1990, Frank souhaitait conférer à ce modèle le même style luxueux – cette chaussure était l'une des plus chères en vente sur le marché à l'époque (plus de 100 $).

Le trio de luxueuses Forum Hi de Frank se distinguait par une tige unie en nubuck et des broderies dorées sur la cheville et la languette.

La version noire illustrée ici fut uniquement vendue par la Boylston Trading Co. à Boston, tandis que les versions plomb (grise) et cardinal (rouge) furent données à des comptes Adidas choisis des États-Unis. Aucun des trois modèles ne fut jamais vendu en dehors des États-Unis.

INFORMATIONS

ÉDITION
Frank The Butcher
SÉRIE
Crest pack
ANNÉE DE SORTIE
2011
UTILISATION PREMIÈRE
Basket-ball
TECHNOLOGIE
Renfort de talon extérieur ; système de laçage entrecroisé à la cheville ; fermeture par Velcro ; point de pivot ; multidisque, semelle intermédiaire

ADIDAS SUPERSTAR '35TH ANNIVERSARY' SERIES

TRAITEMENT SPÉCIAL ANNIVERSAIRE POUR UNE ICÔNE

Pour célébrer les trente-cinq ans de la Superstar en 2005, Adidas sortit trente-quatre versions de ce classique, chacune ayant été revisitée par des partenaires issus des mondes de la musique et de l'art. La première gamme Consortium vit ainsi le jour, en collaboration avec des détaillants de premier plan. Parmi cinq gammes, avec à leur tête la gamme Consortium, tous les modèles de la série furent produits en nombres limités. On découvre ici l'édition Footpatrol d'inspiration militaire (la deuxième en bas à gauche ; trois cents paires) et la remarquable édition Union (la première en bas à gauche ; quatre cents paires).

La série Expressions, deuxième gamme, se distinguait par des collaborations avec des artistes et des photographes ayant appliqué leurs talents aux Superstar. L'artiste graffeur Lee Quinones choisit ainsi de placer des images et de la poésie sur les lacets (en haut à gauche ; quatre mille paires). Sam Flores et Ricky Powell, de la société de streetwear Upper Playground, mirent en avant leur amour des barbecues (en bas à droite ; quatre mille paires).

La série Music faisait référence au style et aux paroles de grands musiciens associés à la Superstar. Underworld / Tomato imagina ainsi une tige en 3M avec un imprimé sur toute la surface décoré de paroles du chanteur Karl Hyde (au centre ; cinq mille paires). Le leader des Stone Roses, Ian Brown, opta pour le style « british » avec une tige en cuir ciré (en haut à droite ; cinq mille paires).

INFORMATIONS

SÉRIE
Superstar 35th Anniversary
ANNÉE DE SORTIE
2005
UTILISATION PREMIÈRE
Basket-ball
TECHNOLOGIE
Coque de protection des orteils ; semelle à chevrons

ADIDAS SUPERSTAR VINTAGE 'TOP SECRET'

LA SUPERSTAR RETROUVE SES RACINES

La dernière édition de la série Superstar 35th Anniversary fut gardée secrète jusqu'à sa sortie le 1er avril 2005.

Des artisans internes d'Adidas – ayant autrefois travaillé aux côtés d'Adi Dassler – ne produisirent que trois cents paires de cette Superstar Vintage. Elle se distinguait par une tige en cuir supérieur et incluait des accessoires indispensables à l'entretien des chaussures en cuir supérieur dans la mallette Top Secret proposée avec les chaussures.

Cette série fut uniquement offerte à des amis et à des membres de la famille Adidas ou gagnée à l'issue d'une chasse au trésor.

INFORMATIONS

ÉDITION
Top Secret
SÉRIE
Superstar 35th Anniversary
ANNÉE DE SORTIE
2005
UTILISATION PREMIÈRE
Basket-ball
TECHNOLOGIE
Coque de protection des orteil semelle à chevrons
PLUS
Mallette en cuir ; chausse-pied en cuivre ; cirage ; 2 brosses à chaussures ; chausse-pied en bois ; étiquettes volantes en cuir ; chiffon

ADIDAS SUPERSTAR 80s
x RUN-DMC

25 ANS DE COURSE AVEC LES DMC

Le premier contrat de sponsoring entre un groupe de musique et une société de chaussures de sport débuta par une chanson, le morceau « My Adidas », écrit par Run-DMC pour son album *Raising Hell* de 1986.

Pour marquer le 25e anniversaire de ce single, Adidas sortit mille neuf cent quatre-vingt-six paires d'une édition spéciale Superstar, en référence à l'année où le disque connut le succès, tant sur le plan critique que commercial.

Fidèle à la tradition classique de Run-DMC, cette version se distinguait par un coloris noir et blanc et la tige en cuir supérieur de la Superstar 1980. On remarquait également une étiquette de languette et des ferrets de lacets My Adidas, une doublure arborant la marque Run-DMC et un bijou de lacet en corde dorée.

INFORMATIONS

ÉDITION
Run-DMC
25th Anniversary

ANNÉE DE SORTIE
2011

UTILISATION PREMIÈRE
Basket-ball

TECHNOLOGIE
Coque de protection des orteils ; semelle à chevrons

PLUS
Lacets de différentes couleurs ; bijou de lacet ; boîte spéciale

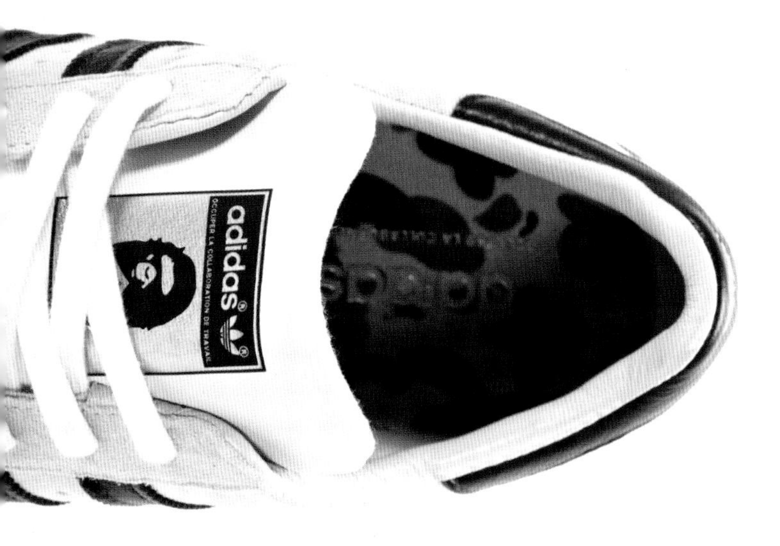

ADIDAS SUPERSTAR 80s 'B-SIDES' x A BATHING APE

LA TÊTE DE SINGE DE NOUVEAU À L'HONNEUR

En 2011, Adidas Consortium sortit une collection spéciale surnommée B-Sides, fondée sur des modèles rares Adidas Original précédemment sortis. Deux séries furent fabriquées, chaque modèle reflétant et imitant les caractéristiques remarquables de son prédécesseur A-Side.

Les chaussures les plus attendues furent les Superstar 80's A Bathing Ape, issues de la collaboration en 2003 entre Adidas et A Bathing Ape (BAPE), aujourd'hui encore très recherchées.

Parmi les détails subtils, on remarquait la fameuse tête de singe de BAPE gravée sur le talon et surmontée d'un triple chevron militaire (un clin d'œil à l'édition originale dont les trois bandes diagonales traversaient le logo de BAPE), et l'inscription « trèfle en chevrons et Bape » imprimée diagonalement sur le panneau latéral.

INFORMATIONS

ÉDITION
A Bathing Ape
SÉRIE
B-Sides
ANNÉE DE SORTIE
2011
UTILISATION PREMIÈRE
Basket-ball
TECHNOLOGIE
Coque de protection des orteils ; semelle à chevrons

ADIDAS CAMPUS 80s x A BATHING APE x UNDEFEATED

TRIPLE MENACE

Pour célébrer la relation de longue date entre Adidas, A Bathing Ape et Undefeated, les deux marques de streetwear s'associèrent pour travailler sur deux modèles Adidas de leur choix, les Campus 80s et ZX 5000.

Deux versions subtiles et supérieures de la Campus 80s furent ainsi produites. La première se distinguait par une tige en daim noir avec une languette en nubuck, une doublure et une semelle intérieure imprimées camouflage, les deux marques figurant sur le panneau latéral et au niveau du talon ; l'autre modèle arborait, quant à lui, une tige en daim vert olive rehaussée des mêmes détails avec quelques modifications : les trois bandes dentelées étaient remplacées par des trous et la languette légèrement rembourrée.

Le motif camouflage fut également repris pour la ZX 5000 sur une tige en nubuck unie, rehaussée des trois bandes contrastant en rouge, blanc et bleu.

La Campus 80s noire fut vendue dans les magasins partenaires de BAPE, d'Undefeated et de Consortium, tandis que la version olive, éditée en quantités sensiblement inférieures, fut vendue via BAPE, Undefeated et les magasins concept stores Adidas.

INFORMATIONS

ÉDITION
Consortium x BAPE x Undefeated

ANNÉE DE SORTIE
2013

UTILISATION PREMIÈRE
Basket-ball

TECHNOLOGIE
Semelle à chevrons

ADIDAS CAMPUS 80s x FOOTPATROL

INFORMATIONS
ÉDITION
Footpatrol
ANNÉE DE SORTIE
2007
UTILISATION PREMIÈRE
Basket-ball
TECHNOLOGIE
Semelle à chevrons
PLUS
Bandeau et bracelet assortis ; boîte personnalisée

LA CAMPUS RETROUVE SES RACINES DES ANNÉES 1980

Pour sa collaboration avec Adidas Originals en 2007, Footpatrol proposa une Campus 1980s fidèle à la version d'origine après avoir subi des modifications constantes pendant presque deux décennies.

Le modèle retrouva ainsi sa forme d'origine plus plate et fut pourvu d'une tige en luxueux daim peau de porc dans les couleurs classiques de la Campus. Il se distinguait surtout par le traitement de la partie médiane utilisant une fausse peau animale différente pour chaque coloris.

Des bandeaux et des bracelets assortis étaient inclus dans les boîtes de chaussures décorées d'un autocollant rappelant les boîtes d'origine qui arboraient le visage du joueur de NBA Kareem Abdul-Jabbar. L'autocollant représentait cette fois le visage du directeur du magasin Footpatrol en 2007, Wes Tyerman.

Les versions bordeaux, grise et jaune firent partie de la première série sortie en 2007, tandis que la version bleu marine fut incluse au projet Adidas B-Sides en 2011.

INFORMATIONS

ÉDITION
London Olympic
ANNÉE DE SORTIE
2012
UTILISATION PREMIÈRE
Course
TECHNOLOGIE
Primeknit ; AdiZero ;
Torsion
PLUS
Boîte de style origami ;
sac à cordon

ADIDAS ADIZERO PRIMEKNIT 'LONDON OLYMPIC'

LE TRICOT N'EST PAS RÉSERVÉ AUX GRANDS-MÈRES

Malgré le recours en litige de Nike à l'encontre d'Adidas pour avoir enfreint son brevet Flyknit, Adidas choisit de développer la gamme Primeknit.

La première version de cette chaussure innovante ultralégère fut commercialisée la veille des jeux Olympiques de Londres 2012, après avoir été produite grâce à l'emploi d'une technologie de tricot numérique révolutionnaire permettant d'obtenir une tige d'une seule pièce et sans couture.

Entièrement fabriquée en Allemagne, l'édition London Olympic fut proposée en rouge vif, avec les trois bandes tissées en blanc et d'autres détails également blancs.

Chacune des deux mille douze paires produites dans le monde fut individuellement numérotée, le numéro étant à la fois imprimé sur la boîte et brodé sur la languette. La boîte se distinguait par son ouverture innovante de style origami et était accompagnée d'un sac à cordon.

ADIDAS SLVR PRIMEKNIT CAMPUS

INFORMATIONS

ÉDITION
SLVR Primeknit
ANNÉE DE SORTIE
2013
UTILISATION PREMIÈRE
Basket-ball
TECHNOLOGIE
Primeknit

LE TRICOT À LA POINTE DE LA MODE

En 2013, Adidas lança le concept Primeknit, étendant l'usage de la technologie de tricot de sa gamme Performance à la marque de mode contemporaine SLVR.

Fabriquée avec une tige d'une seule pièce, cette Campus très sobre fut complétée par du tricot noir et blanc au motif chevron.

Des détails argent furent également ajoutés sur toute la chaussure, sur les lacets mouchetés, la languette tricotée et le bijou de lacet SLVR fixé sur le dessus de la languette.

Chacune des trois cents paires fut individuellement numérotée.

ADIDAS ADICOLOR LO Y1
x TWIST FOR HUF

INFORMATIONS

ÉDITION
Consortium – Twist for Huf
SÉRIE
Adicolor project – Yellow / Tier 1
ANNÉE DE SORTIE
2006
UTILISATION PREMIÈRE
Chaussure d'entraînement
TECHNOLOGIE
Laçage ghillie ; semelle à chevrons ; point de pivot
PLUS
Double boîte ; 2 bijoux de lacets ; 4 lacets de rechange ; livre sur les œuvres de Twist

UNE CARICATURE DÉCLENCHE UNE CONTROVERSE MÉDIATIQUE

L'Adicolor Lo Y1 x Twist for Huf fut renommée par Adidas après la controverse suscitée par une illustration qui figurait sur la chaussure, œuvre de l'artiste Twist (alias Barry McGee). Un autoportrait du Sino-Américain McGee sous les traits de « Ray Fong the bail bondsman » (*bail bondsman*, le garant de cautions judiciaires) le représentait avec une coupe de cheveux au bol, un nez de cochon et des dents de lapin, provoquant la colère des groupes asio-américains et engendrant une couverture médiatique négative.

L'Adicolor Lo se distinguait également par de très fines rayures symbolisant des barreaux de prison et des semelles intérieures décorées d'illustrations de détenus perplexes.

L'édition étant limitée à mille paires, vendues dans une double boîte contenant des lacets supplémentaires, des bijoux de lacets et un livre avec les œuvres de Twist, le rappel du produit rendit cette édition plus convoitée encore.

ADIDAS 'OKTOBERFEST' & 'VIP' MÜNCHEN x CROOKED TONGUES

ADIDAS S'INTÉRESSE À LA MÜNCHEN

Pour célébrer l'Oktoberfest qui a lieu tous les ans en Allemagne, Adidas s'associa avec Crooked Tongues afin de proposer deux nouvelles versions de la chaussure München, rendant ainsi hommage à Munich, la ville qui accueille cette fête de la bière.

Le premier coloris reprenait des éléments des *Lederhosen*, tenue traditionnelle en cuir de l'Oktoberfest. La tige en cuir souple tanné avec une empeigne perforée pour la ventilation rendait la München facile à porter. Seules trois cents paires furent fabriquées.

Le maître-artisan d'Adidas, Markus Thaler, conçut la seconde paire. Thaler adapta la München pour l'extérieur en lui ajoutant un laçage ghillie et une empeigne similaire à celle de la *duck boot*, botte imperméable. Parmi les autres références à l'Oktoberfest, on remarquait un edelweiss brodé et la crête bavaroise discrètement cachée sous la languette. Seules cent cinquante paires furent fabriquées et exclusivement vendues par Crooked Tongues.

INFORMATIONS

ÉDITION
Crooked Tongues and Markus Thaler

SÉRIE
Oktoberfest

ANNÉE DE SORTIE
2008

UTILISATION PREMIÈRE
Entraînement

TECHNOLOGIE
Semelle en PU ; point de pivot ; ventouses ; laçage ghillie

PLUS
Étiquette volante bretzel et chope de bière ; dessous de verre

INFORMATIONS

ÉDITION
Neighborhood
SÉRIE
Berlin
ANNÉE DE SORTIE
2006
UTILISATION PREMIÈRE
Entraînement
TECHNOLOGIE
Semelle vulcanisée

ADIDAS GAZELLE 'BERLIN' x NEIGHBORHOOD

NEIGHBORHOOD REMPORTE UNE VICTOIRE

La marque japonaise de streetwear Neighborhood s'associa avec Adidas pour célébrer la Coupe du monde de la FIFA de 2006 en sortant la Gazelle Berlin, nommée ainsi en référence à la ville qui accueillait la finale de cette compétition.

Ces baskets furent disponibles en deux versions : une blanche rehaussée d'accents noirs et inversement. Le motif emblématique de Neighborhood, l'épée et la tête de mort, figurait sur l'empeigne.

Les chaussures furent commercialisées le jour de la finale de la Coupe du monde opposant l'Italie et la France.

Les deux modèles furent extrêmement rares ; seules deux cents paires de la version blanche et trois cents paires de la noire furent produites dans le monde.

INFORMATIONS

ÉDITION
Mita Sneakers
ANNÉE DE SORTIE
2012
UTILISATION PREMIÈRE
Tennis
PLUS
Semelle vulcanisée

ADIDAS ROD LAVER VINTAGE x MITA SNEAKERS

LA SOMME DE SES PARTIES

Mita Sneakers, à Tokyo, reprit la silhouette élancée de la Rod Laver Vintage, lui ajouta des éléments de la chaussure d'entraînement classique Samba, puis de célèbres détails de la Campus, un des modèles favoris des amateurs de hip-hop, afin de rendre hommage à ce trio classique des archives Adidas.

Il en résulta une tige en daim rappelant celle de la Campus, tandis que la languette et la semelle extérieure étaient teintées d'influences de la Samba culte. Les trois bandes étaient représentées par de subtiles perforations, en harmonie avec l'aspect général minimaliste du modèle.

Arborant le motif grillage caractéristique de Mita Sneakers sur la semelle intérieure, il s'agissait d'un modèle hybride unique qui se distinguait par ses détails extrêmement précis.

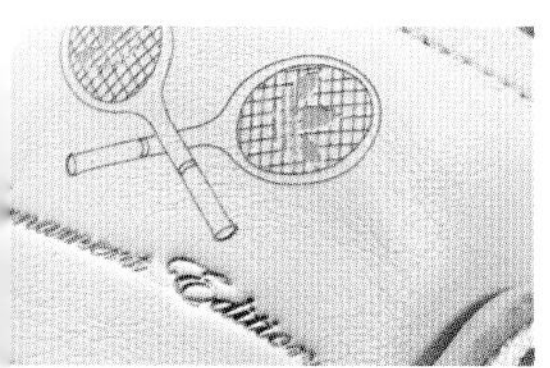

L'HISTOIRE DE DEUX VILLES

Les magasins No6, à Londres, et No74, à Berlin, sont deux concept stores construits pour présenter des produits de qualité supérieure, en édition limitée et uniques, conçus et fabriqués par Adidas.

Pour célébrer l'ouverture du No74 en 2008, Adidas sortit une édition spéciale de sa Stan Smith Vintage dans le cadre de la série Tournament qui revisitait les chaussures de tennis les plus célèbres et les plus recherchées de la marque pour coïncider avec la finale de Wimbledon.

Le modèle se distinguait par une tige en toile beige, une doublure en cuir et des détails en nubuck sur le talon marqué #74 et #6. Seules cent cinquante paires furent exclusivement vendues entre les deux magasins.

ADIDAS STAN SMITH VINTAGE **x No74 x No6**

INFORMATIONS

ÉDITION
No74 x No6
SÉRIE
Tournament
ANNÉE DE SORTIE
2008
UTILISATION PREMIÈRE
Tennis
PLUS
Boîte Tournament ÉDITION

ADIDAS ROD LAVER SUPER x OKI-NI 'NILE CARP FISH'

INFORMATIONS

ÉDITION
Oki-ni
PACK
Nile Carp Fish
ANNÉE DE SORTIE
2001
UTILISATION PREMIÈRE
Tennis
TECHNOLOGIE
Semelle en polyuréthane double densité

LE POISSON À L'HONNEUR

Ce fut la première collaboration d'Oki-ni avec Adidas en 2005. Ce vendeur en ligne basé à Londres revisita ce modèle de basket avec une approche exotique, utilisant du véritable cuir de carpe du Nil en Égypte pour la tige de la chaussure.

Ce cuir fut teint en différentes couleurs, donnant les versions orange rouille et marron illustrées ici, ainsi qu'une version bleue et une autre bordeaux. La peau souple et naturelle est rembourrée et doublée à la manière Rod Laver Super, tout en conservant sa semelle ultralégère en polyuréthane double densité, fidèle à l'originale des années 1980.

Oki-ni a depuis collaboré sur plusieurs autres modèles avec Adidas.

ADIDAS ZX 500 x SHANIQWA JARVIS

INFORMATIONS

ÉDITION
Shaniqwa Jarvis
SÉRIE
Your Story
ANNÉE DE SORTIE
2012
UTILISATION PREMIÈRE
Course
TECHNOLOGIE
Renfort de talon en TPU ; semelle intermédiaire EVA double densité ; laçage ghillie

LE GRAND SAUT

Mieux connue pour ses photos des imprésarios du streetwear et des icônes culturelles, Shaniqwa Jarvis, photographe spécialisée dans le portrait, a puisé son inspiration dans des souvenirs d'enfance de son équipe de natation locale pour la collection Your Story d'Adidas Consortium, sur le thème des jeux Olympiques.

Jarvis a opté pour un intéressant mélange de daim et de néoprène bleu piscine uni. Un néoprène plus technique fut utilisé pour la languette, afin de la rendre plus confortable.

Parmi les autres références à la piscine, on note du daim marron en haut du talon pour rappeler les murs et le carrelage de la piscine que Jarvis fréquentait dans son enfance, tandis que les lacets teints en jaune au bout rouge faisaient référence aux lignes de nage.

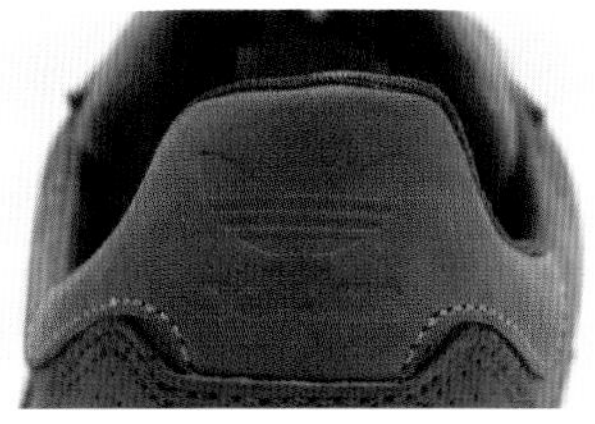

QUOTE SE FAIT ENTENDRE

Pour le projet Your Story d'Adidas, des partenaires furent choisis dans différentes villes olympiques du monde. Pour représenter Berlin, le grand collectionneur et connaisseur d'Adidas Daniel Quote Kokscht produisit une ZX 500 influencée par l'intérieur bleu et gris caractéristique de l'Olympiastadion.

Quote utilisa un mesh en Nylon tissé et une garniture en velours sur la tige mais, plutôt que de choisir un mesh à mailles ouvertes respirant pour l'empeigne et un mesh à mailles serrées pour les panneaux latéraux, comme pour la ZX 500 originale, il intervertit les deux.

INFORMATIONS

ÉDITION
Quote
SÉRIE
Your Story
ANNÉE DE SORTIE
2012
UTILISATION PREMIÈRE
Course
TECHNOLOGIE
Renfort de talon en TPU; semelle intermédiaire EVA double densité; laçage ghillie

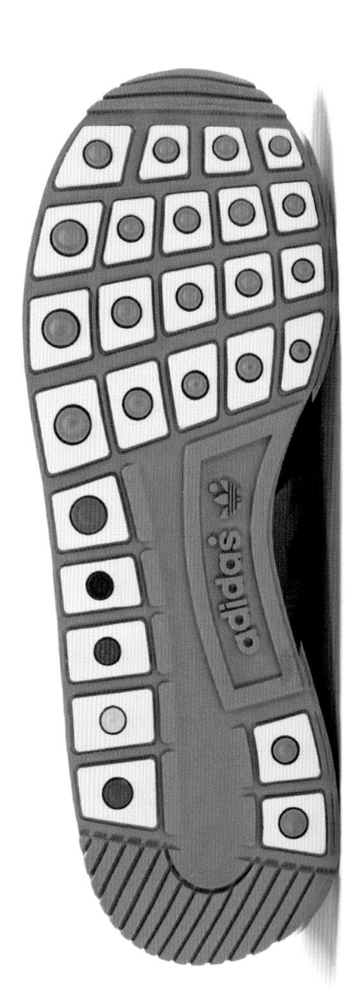

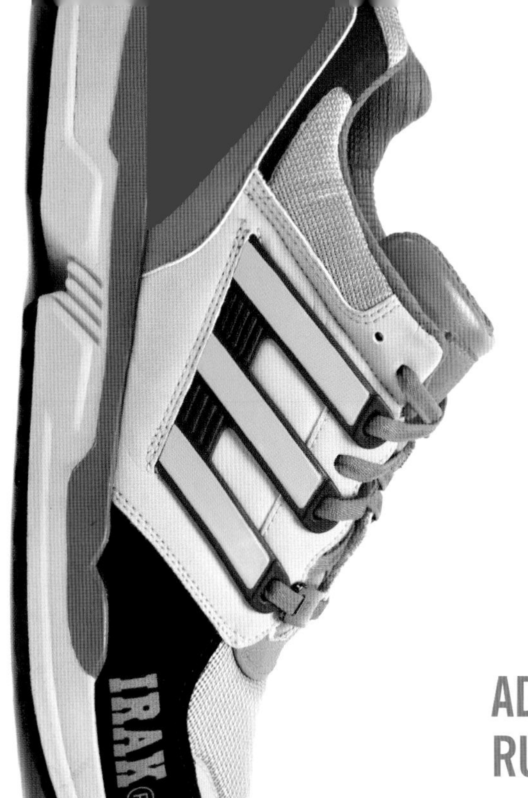

DES LÉGENDES DES GRAFFITIS REVISITENT UN CLASSIQUE

L'Adidas EQT a toujours été une chaussure de course très appréciée, bien que rarement vue, mais elle revint sous le feu des projecteurs à la suite de cette collaboration RMX (remix) de 2007.

Pour l'une de ses gammes de chaussures inspirées par des graffitis, Adidas s'associa à IRAK, de New York, afin de produire ce modèle tristement célèbre.

ADIDAS RMX EQT SUPPORT RUNNER x IRAK

On raconte que l'importante promotion croisée aurait entraîné le quasi-retrait de la chaussure de la production. Les deux éditions de 2007 et 2008 finirent pas être vendues en ligne le même jour : le 27 décembre 2007.

Elles furent uniquement disponibles à l'Alife Rivington Club, à New York, et chez Patta à Amsterdam.

INFORMATIONS

ÉDITION
IRAK
ANNÉE DE SORTIE
2007/2008
UTILISATION PREMIÈRE
Course
TECHNOLOGIE
Torsion ; Soft Cell ; renfort de talon extérieur

ADIDAS ZX 8000 x MITA SNEAKERS

IMPOSSIBLE DE SE TROMPER AVEC CE MODÈLE CLASSIQUE

Le modèle Adidas ZX 8000 est immédiatement reconnaissable depuis la sortie du coloris d'origine turquoise / bleu / jaune en 1989, avec de nombreuses versions commercialisées ensuite à partir de ce moment clé de la culture des baskets.

Le coloris illustré ici est celui d'un modèle Equipment (EQT) de 1991. Il fut appliqué la première fois à la célèbre Torsion ZX 8000 en 2010 dans le cadre de la gamme Consortium et se vendit rapidement.

Pour cette version, Mita Sneakers modifia l'impression couleur sur la tige en daim et mesh, remplaçant des détails blancs par des noirs et inversement, ainsi que la languette noire par une grise.

Ce Special Make-up (SMU) japonais fut également mis à disposition de comptes Adidas choisis du monde entier.

INFORMATIONS

ÉDITION
Mita Sneakers
ANNÉE DE SORTIE
2013
UTILISATION PREMIÈRE
Course
TECHNOLOGIE
Torsion ; Soft Cell ; renfort de talon extérieur ; semelle intermédiaire ; laçage ghillie

ADIDAS SUPERSTAR 1 x STAR WARS 'A30TH ANNIVERSARY'

DES TÉNÈBRES À LA LUMIÈRE

Pour le 30e anniversaire de *Star Wars*, Adidas sortit deux paires de Superstar 1 : une version claire, inspirée par Yoda, et une version obscure, à l'image de Dark Vador. La Superstar Yoda se distinguait par une tige en chanvre pour imiter la robe de Yoda, avec des détails en cuir sur les bandes et au talon ainsi qu'une semelle extérieure verte pour représenter la peau de Yoda. L'édition Dark Vador était composée de cuir noir matelassé avec une tige en cuir vernis pour rappeler son casque et son armure.

Les deux versions furent proposées dans un emballage-coque Superstar, en hommage aux objets de collection Star Wars du passé. Elles faisaient partie de la gamme Consortium d'Adidas, uniquement commercialisée dans des magasins avec un compte Consortium.

INFORMATIONS

ÉDITION
Star Wars
SÉRIE
30th Anniversary
ANNÉE DE SORTIE
2007
UTILISATION PREMIÈRE
Basket-ball
TECHNOLOGIE
Semelle à chevrons ; coque de protection des orteils
PLUS
Lacets de rechange

ADIDAS SUPERSTAR 80s & ZX 8000 G-SNK x ATMOS

DE RAYONNANTS REPTILES

À partir de 2009, Atmos, de Tokyo, collabora avec Adidas pendant plusieurs années sur une série de cinq Superstar 80s.

Chaque paire se distinguait par une tige d'une couleur différente et de nombreuses écailles de serpent, allant d'un motif standard à un imprimé python en G-SNK – un matériau qui brille dans le noir –, une réalisation caractéristique d'Atmos qui l'a utilisée régulièrement depuis.

Ces chaussures sont très recherchées par les collectionneurs, les éditions étant plus ou moins limitées selon les modèles.

En 2011, Atmos revisita la légendaire ZX 8000 en ajoutant du G-SNK aux matériaux.

Tous les modèles de la série ne furent distribués que dans trois magasins : No6 à Londres, No74 à Berlin, et Atmos.

La Superstar 2012 est ici illustrée.

INFORMATIONS

ÉDITION
Atmos
ANNÉE DE SORTIE
2011/2012
UTILISATION PREMIÈRE
Basket-ball ; course
TECHNOLOGIE
Semelle à chevrons ; coque de protection des orteils ; Torsion ; Soft Cell ; semelle intermédiaire EVA ; renfort de talon extérieur ; laçage ghillie

ADIDAS ORIGINALS ZX 9000
x CROOKED TONGUES

T COMME TONGUES

Pour le projet aZX, qui se caractérisait par vingt-six collaborations sur les séries running de ZX, la lettre T était représentée par Crooked Tongues, qui choisit de revisiter la ZX 9000.

Avec des couleurs inspirées de la gamme Adidas ZX du milieu des années 1990, du jaune, du gris, du charbon et du noir ont été appliqués sur des matières soigneusement sélectionnées ; ce modèle est un mélange de daim et de mesh qui rappelle la ZX 9000 originale. Une plus grande attention est portée aux détails sur la semelle intérieure et le modèle présente également un bijou de lacet, un emballage en papier et plusieurs jeux de lacets, tous illustrés par Mark Ward, associé à Crooked Tongues.

Parmi les chaussures ZX 9000 commercialisées en 2008 se trouvait une paire spéciale dotée de lacets dorés dans la boîte, de style Willy Wonka. Le gagnant recevait une ZX 8000 exclusive imaginée par Jacques Chassaing et Markus Thaler, fidèles d'Adidas, pour commémorer le projet.

INFORMATIONS

ÉDITION
Crooked Tongues
COLLECTION
aZX
ANNÉE DE SORTIE
2008
UTILISATION PREMIÈRE
Course
TECHNOLOGIE
Torsion ; Soft Cell ; renfort de talon extérieur ; semelle intermédiaire EVA ; laçage ghillie
PLUS
4 jeux de lacets ; étiquette volante aZX

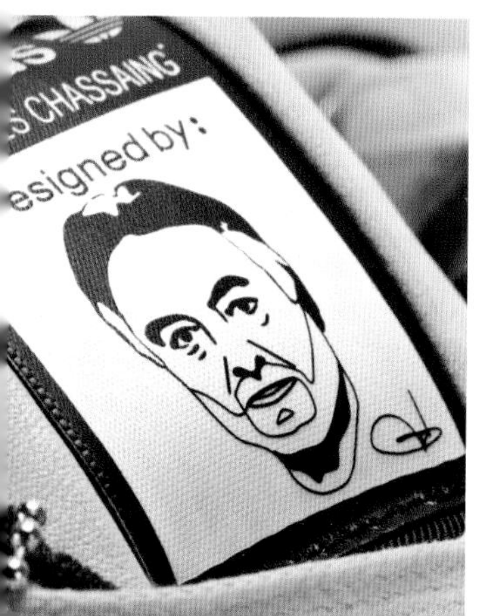

ADIDAS ZX 8000 x JACQUES CHASSAING & MARKUS THALER

LE MEILLEUR CONTRÔLE QUALITÉ

La série ZX fut commémorée en 2008 et 2009 avec le lancement d'aZX. La version finale du projet prit la forme de la ZX 8000, imaginée par les légendaires créateurs d'Adidas, Jacques Chassaing et Markus Thaler.

Jacques Chassaing est un créateur clé d'Adidas depuis plus de trente ans et a travaillé sur plusieurs modèles recherchés, dont toutes les chaussures de la gamme ZX.

Markus Thaler a appris les ficelles du métier aux côtés d'Adi Dassler lui-même au début des années 1970. Il a développé quelques-unes des meilleures technologies d'Adidas, dont EQT et la barre Torsion.

Le rapprochement de ces deux grands esprits pour revisiter la ZX 8000 a donné un modèle fait main, luxueux et de qualité supérieure, avec une attention particulière portée à la construction physique de la chaussure.

Vendue dans une grande boîte en Plexiglas, cette ZX 8000 constitue une véritable pièce de collection ; seules vingt-deux paires ont été fabriquées. Une paire fut offerte à chaque magasin Consortium participant.

INFORMATIONS

ÉDITION
Jacques Chassaing & Markus Thaler
COLLECTION
aZX
ANNÉE DE SORTIE
2009
UTILISATION PREMIÈRE
Course
TECHNOLOGIE
Torsion ; Soft Cell ; semelle intermédiaire EVA ; renfort de talon extérieur ; laçage ghillie
PLUS
Grande boîte en Plexiglas ; schéma de la ZX 8000 ; étiquette volante aZX

ADIDAS TRAINING 72 NG x NOEL GALLAGHER

POUR UNE PETITE BALADE

En octobre 2011, le musicien Noel Gallagher collabora avec Adidas sur l'un de ses modèles, la Training 72, précédemment connue sous le nom d'Olympia. La sortie de ce modèle coïncida avec celle de son premier album solo, *High Flying Birds*.

Cette basket rendait hommage aux versions originales de la Training 72 avec les trois bandes bleues d'Adidas, l'inscription « Endorsed by Noel Gallagher » sur la languette et une semelle intermédiaire en caoutchouc texturé marron.

Seules deux cents paires furent produites dans le monde entier, exclusivement vendues dans les boutiques No6 à Londres et No74 à Berlin.

INFORMATIONS

ÉDITION
Training 72 NG
ANNÉE DE SORTIE
2011
UTILISATION PREMIÈRE
Entraînement
TECHNOLOGIE
Semelle à chevrons ; semelle vulcanisée
PLUS
Papier de soie imprimé Noel Gallagher

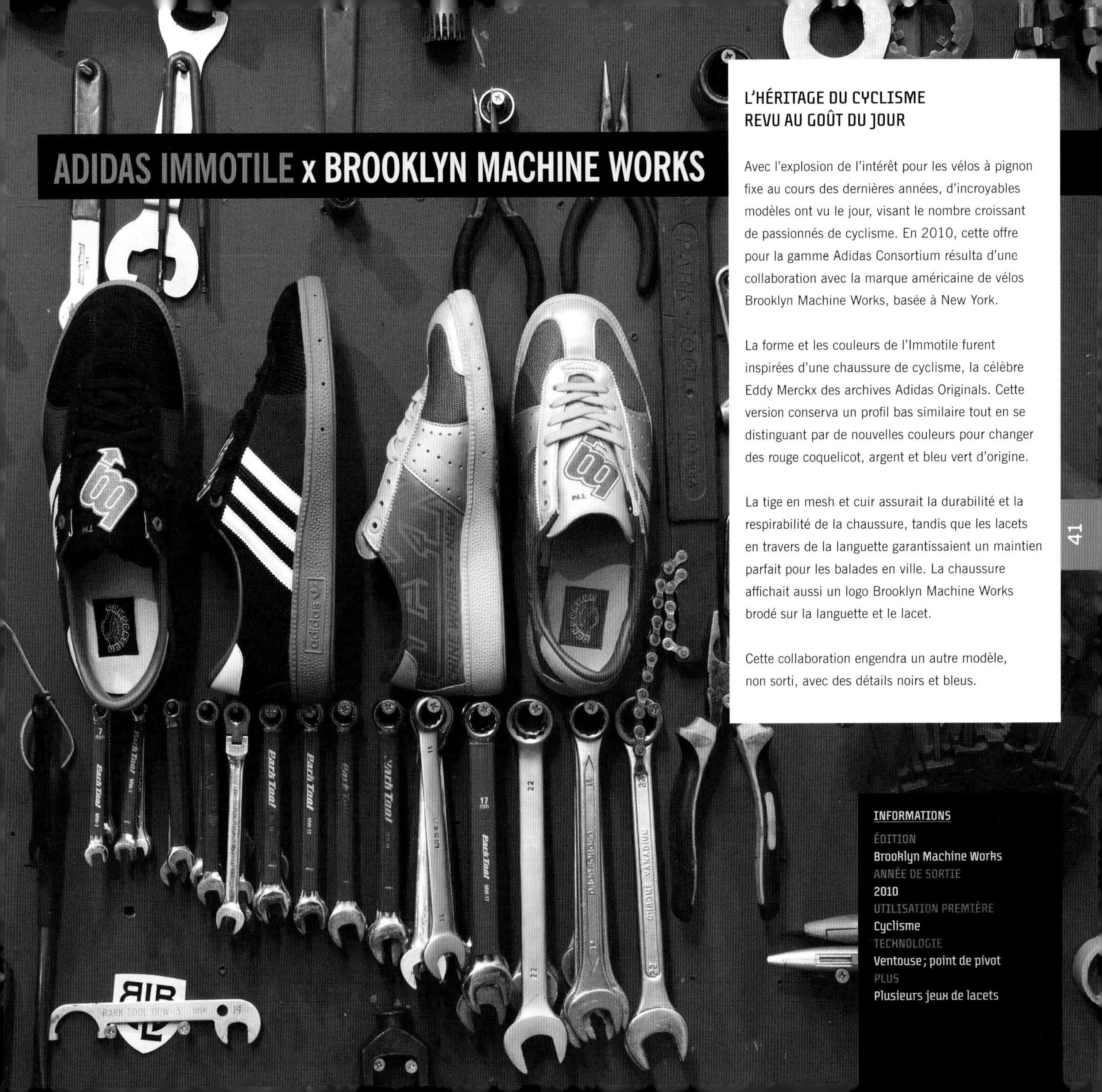

ADIDAS IMMOTILE x BROOKLYN MACHINE WORKS

L'HÉRITAGE DU CYCLISME REVU AU GOÛT DU JOUR

Avec l'explosion de l'intérêt pour les vélos à pignon fixe au cours des dernières années, d'incroyables modèles ont vu le jour, visant le nombre croissant de passionnés de cyclisme. En 2010, cette offre pour la gamme Adidas Consortium résulta d'une collaboration avec la marque américaine de vélos Brooklyn Machine Works, basée à New York.

La forme et les couleurs de l'Immotile furent inspirées d'une chaussure de cyclisme, la célèbre Eddy Merckx des archives Adidas Originals. Cette version conserva un profil bas similaire tout en se distinguant par de nouvelles couleurs pour changer des rouge coquelicot, argent et bleu vert d'origine.

La tige en mesh et cuir assurait la durabilité et la respirabilité de la chaussure, tandis que les lacets en travers de la languette garantissaient un maintien parfait pour les balades en ville. La chaussure affichait aussi un logo Brooklyn Machine Works brodé sur la languette et le lacet.

Cette collaboration engendra un autre modèle, non sorti, avec des détails noirs et bleus.

INFORMATIONS

ÉDITION
Brooklyn Machine Works
ANNÉE DE SORTIE
2010
UTILISATION PREMIÈRE
Cyclisme
TECHNOLOGIE
Ventouse ; point de pivot
PLUS
Plusieurs jeux de lacets

ADIDAS JS BEAR x JEREMY SCOTT

LA FOLLE MÉNAGERIE DE JEREMY

Ayant déjà travaillé sur plusieurs produits avec Adidas, en 2010, Jeremy Scott eut l'occasion de participer à la gamme ObyO (Originals by Originals), une collection haut de gamme imaginée par des créateurs et des marques tels que James Bond d'Undefeated et Kazuki Kuraishi.

Scott fonda son projet sur le modèle Metro Attitude en lui apportant son style propre et unique. La tige se distinguait par un corps imitation fourrure avec une tête d'ours en peluche en haut de la languette, les bras étant placés près des œillets supérieurs. Deux versions furent à l'origine produites, une rose et une marron. Quelques années plus tard s'y ajoutèrent une version multicolore et une autre camouflage. Le succès de ces petits ours en peluche amena Jeremy Scott à concevoir une véritable ménagerie, avec des baskets panda, léopard, gorille et caniche.

La majeure partie de la collection ObyO de Scott est aujourd'hui encore très populaire, surtout le modèle ours en peluche qui se vend de nos jours trois fois plus cher qu'à l'origine.

INFORMATIONS

ÉDITION
Teddy Bear
COLLECTION
ObyO Jeremy Scott
ANNÉE DE SORTIE
2010
UTILISATION PREMIÈRE
Basket-ball
TECHNOLOGIE
Semelle intermédiaire Dellinger Web

ADIDAS JS WINGS x JEREMY SCOTT

JEREMY S'ENVOLE

Dans le cadre de la collaboration flamboyante de Jeremy Scott au sein de la gamme Adidas ObyO, ce créateur de mode avant-gardiste imagina cette paire colorée et ailée d'Attitude Hi's pour sa gamme printemps / été 2010.

Surnommée Rainbow (arc-en-ciel) par beaucoup, cette version du modèle ailé classique attira immédiatement l'attention avec sa tige composée d'un matériau photosensible, ses œillets multicolores, ses lacets assortis et sa semelle noire.

Il s'agit aujourd'hui d'un des modèles les plus recherchés de JS Wings jamais produit.

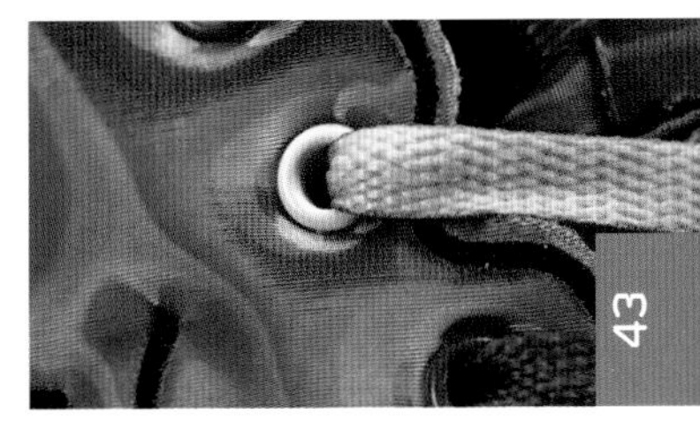

INFORMATIONS

ÉDITION
Rainbow
PACK
ObyO Jeremy Scott
ANNÉE DE SORTIE
2010
UTILISATION PREMIÈRE
Basket-ball
TECHNOLOGIE
Semelle intermédiaire Dellinger Web

ADIDAS SAMBA x LIONEL MESSI

LA FIERTÉ DE L'ARGENTINE

La série Legacy of Craftsmanship donna aux ambassadeurs de la marque Adidas leur propre paire sur mesure d'Adidas Originals à porter en dehors du travail. Après avoir échangé des idées entre eux, le grand Markus Thaler et le créateur Vincent Etcheverry proposèrent une Samba au design sobre sur le thème de l'Argentine pour le maestro du football Lionel Messi.

Cette chaussure se distinguait par ses panneaux en cuir découpés avec précision au laser et minutieusement collés sur la tige, réduisant ainsi le nombre de lignes de couture. Un drapeau argentin était cousu sur la semelle de propreté et le nom de Messi inscrit sur le côté de la tige.

Seules cinq paires furent produites, toutes offertes à Messi.

ADIDAS PRO SHELL x SNOOP DOGG 'SNOOPERSTAR'

INFORMATIONS

ÉDITION
Snoop Dogg
SÉRIE
Legacy of Craftsmanship
ANNÉE DE SORTIE
2012
UTILISATION PREMIÈRE
Basket-ball
TECHNOLOGIE
Fermeture par Velcro; coque de protection des orteils; semelle à chevrons

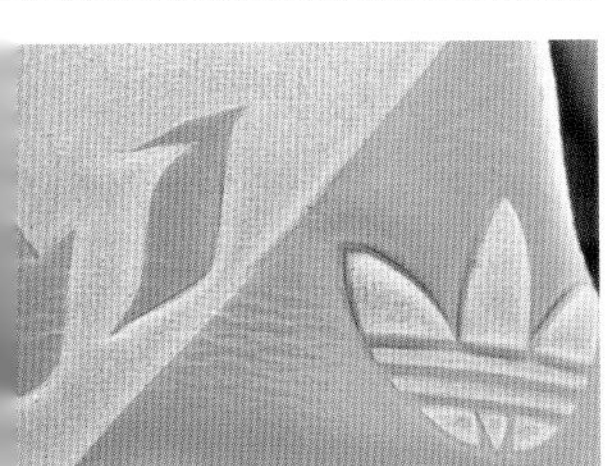

INFORMATIONS

ÉDITION
Lionel Messi
SÉRIE
Legacy of Craftsmanship
ANNÉE DE SORTIE
2012
UTILISATION PREMIÈRE
Entraînement de football en salle
TECHNOLOGIE
Point de pivot ; ventouse ;
panneaux découpés au laser

ELLE RENAÎT DE SES CENDRES

Snoop Dogg, ambassadeur d'Adidas depuis longtemps, souhaitait une Snooperstar sur mesure. Adidas offrit ainsi au rappeur une Pro Shell personnalisée mi-montante, version hybride des modèles Superstar et Pro.

Le créateur Josh Herr travailla avec le légendaire Markus Thaler, qui mit en application ses compétences en matière de fabrication de chaussures traditionnelle. Les influences rastafariennes furent visibles sur la toile non traitée utilisée pour la tige à la place du cuir habituel ; la broderie 3D sur chaque renfort de talon représente des ailes déployées de phénix.

La signature de Snoop Dogg était gravée sur la semelle intermédiaire, tandis que sur la semelle intérieure on trouvait le surnom Snooperstar à côté de l'inscription « Made in France ».

ASICS

Kihachiro Onitsuka fonda la société Onitsuka Tiger, spécialisée dans les chaussures de sport, au Japon en 1949. En 1977, la société prit le nom d'ASICS et commença à produire une vaste gamme de chaussures de sport et d'équipements performants pour plusieurs sports.
De nos jours, ASICS vise la performance, tandis qu'Onitsuka Tiger perdure en tant que marque principalement centrée sur le marché grand public.

ASICS est un acronyme de la phrase latine *anima sana in corpore sano*, qui se traduit par « un esprit sain dans un corps sain », une philosophie au cœur de la société depuis des années.

La majeure partie de la gamme principale des chaussures de sport a été conçue pour la course et le jogging et ce sont les modèles associés à ces activités qui ont attiré le plus d'attention lorsqu'ils ont été adaptés pour le marché grand public.

Des modèles, tels que le Gel Lyte ou le Gel Saga culte, ont été réédités au cours des dernières années, permettant à la marque de demeurer au premier plan de la « culture basket ». Des partenaires collaborateurs se sont battus pour avoir l'opportunité d'interpréter ces modèles à leur manière, généralement avec des résultats remarquables et bien accueillis.

Du premier modèle de Gel Lyte (page 59) proposé par Patta aux récents efforts immédiatement récompensés du créateur de baskets Ronnie Fieg (pages 49-51), ASICS est une marque dont la renommée s'est élevée dans la conscience collective des passionnés de baskets du monde entier grâce à son approche réfléchie des projets d'éditions limitées et de collaborations.

ONITSUKA TIGER FABRE BL-L 'PANDA' x MITA SNEAKERS

DU TIGRE AU PANDA

Onitsuka Tiger et Mita Sneakers, de Tokyo, proposèrent cette réédition de l'emblématique basket Fabre BL-L en 2013.

La Fabre BL-L s'inspira d'une chaussure de basket-ball classique de 1975 (le nom Fabre fait référence à un déplacement de basket, le FAstBREak) et se caractérisa par une semelle extérieure « slit-cut » innovante, qui devint une marque déposée d'Onitsuka Tiger dans les années 1970 ; les trois fentes sur toute la longueur de la semelle d'usure contribuent à améliorer le mouvement latéral.

Avec un mélange de daim et de fourrure synthétique noir et blanc, le modèle fut inspiré par Ri Ri et Shin Shin, deux pandas géants vivant au zoo d'Ueno à Tokyo. Le motif de chaîne caractéristique de Mita figurait sur la semelle intérieure.

INFORMATIONS

ÉDITION
Mita Sneakers Panda

ANNÉE DE SORTIE
2013

UTILISATION PREMIÈRE
Basket-ball

TECHNOLOGIE
Semelle caoutchouc

PLUS
Lacets blancs

ASICS GEL-LYTE III
'SELVEDGE DENIM' x RONNIE FIEG

JEAN AMÉRICAIN CLASSIQUE

Pour marquer le premier anniversaire de l'ouverture de son magasin KITH, Ronnie Fieg fêta naturellement l'événement avec ASICS, une marque qui lui tient à cœur.

S'inspirant d'une pièce dans les locaux du magasin KITH, dans le quartier de SoHo – construits en briques datant de 1950, bois centenaire et acier américain –, la tige en jean symbolisait la durabilité et la solidité du magasin et de son héritage.

Pour compléter le thème américain, des bandes en cuir blanc bordées de rouge – allusion au drapeau américain – décoraient la tige de la chaussure.

Les Gel-Lyte III Selvedge denim furent exclusivement vendues dans les magasins KITH et sur le site en ligne de l'enseigne.

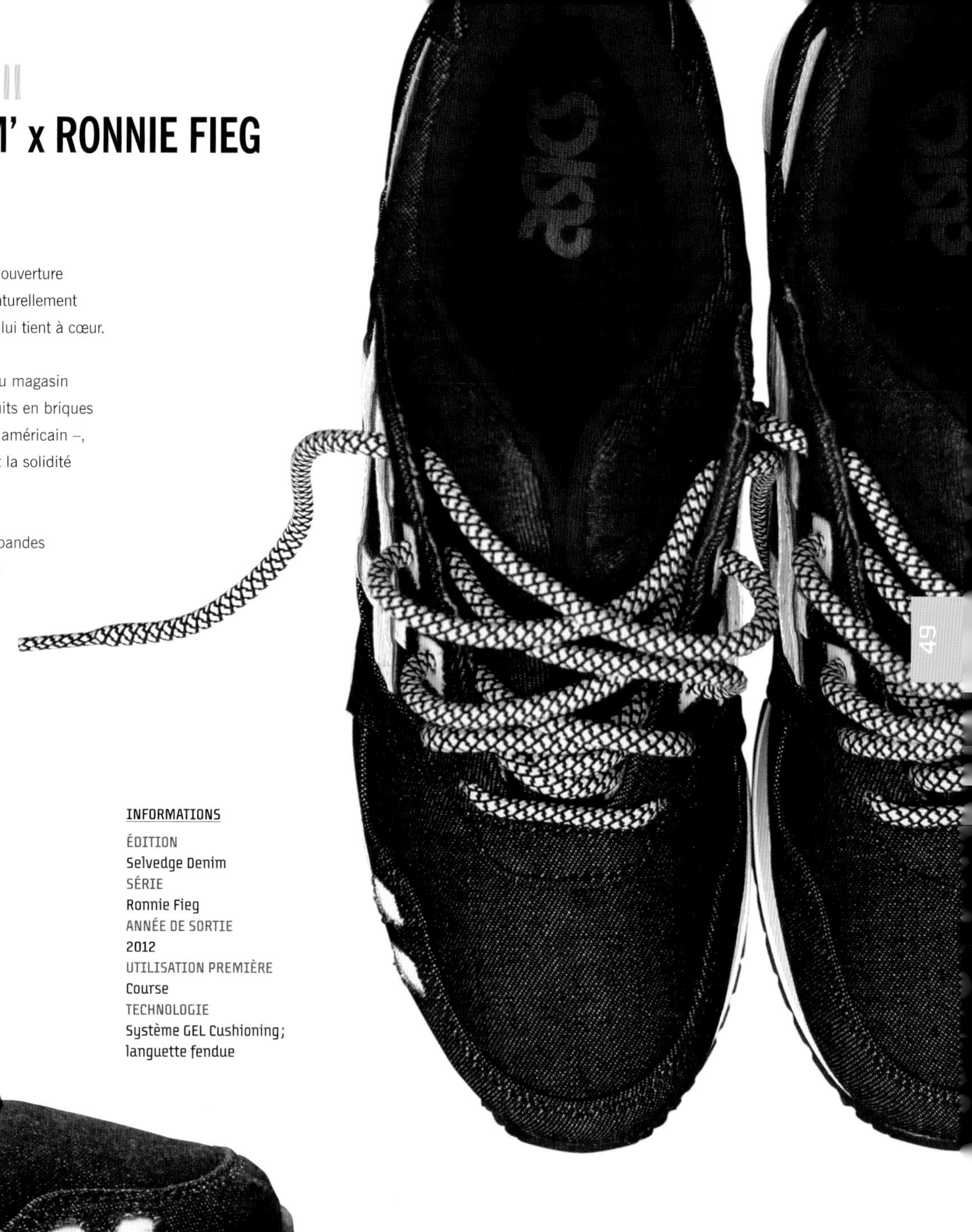

INFORMATIONS

ÉDITION
Selvedge Denim
SÉRIE
Ronnie Fieg
ANNÉE DE SORTIE
2012
UTILISATION PREMIÈRE
Course
TECHNOLOGIE
Système GEL Cushioning; languette fendue

ASICS GEL-SAGA II
'MAZARINE BLUE' x RONNIE FIEG

L'EFFET PAPILLON

La collaboration de Ronnie Fieg avec ASICS remonte à l'époque où il travaillait dans le magasin new-yorkais David Z, où il commença à l'âge de 15 ans ; pendant cette période, il produisit un grand nombre de collections mémorables avec la marque japonaise.

Inspiré par la couleur unique du papillon bleu de Mazarine, le modèle se compose d'une tige en nubuck avec une empeigne et des panneaux latéraux perforés, d'œillets supérieurs, d'une doublure et d'une semelle intermédiaire noirs, pour un effet contrastant.

Seules trois cents paires furent produites, les deux magasins KITH possédant quatre-vingt-dix paires chacun, accompagnées d'un blouson d'université canadien molletonné assorti. Les autres paires furent distribuées à des comptes ASICS choisis.

INFORMATIONS

ÉDITION
Mazarine Blue
GAMME
Ronnie Fieg
ANNÉE DE SORTIE
2011
UTILISATION PREMIÈRE
Course
TECHNOLOGIE
Système GEL Cushioning

ASICS GEL-LYTE III

'SELVEDGE DENIM' x RONNIE FIEG

JEAN AMÉRICAIN CLASSIQUE

Pour marquer le premier anniversaire de l'ouverture de son magasin KITH, Ronnie Fieg fêta naturellement l'événement avec ASICS, une marque qui lui tient à cœur.

S'inspirant d'une pièce dans les locaux du magasin KITH, dans le quartier de SoHo – construits en briques datant de 1950, bois centenaire et acier américain –, la tige en jean symbolisait la durabilité et la solidité du magasin et de son héritage.

Pour compléter le thème américain, des bandes en cuir blanc bordées de rouge – allusion au drapeau américain – décoraient la tige de la chaussure.

Les Gel-Lyte III Selvedge denim furent exclusivement vendues dans les magasins KITH et sur le site en ligne de l'enseigne.

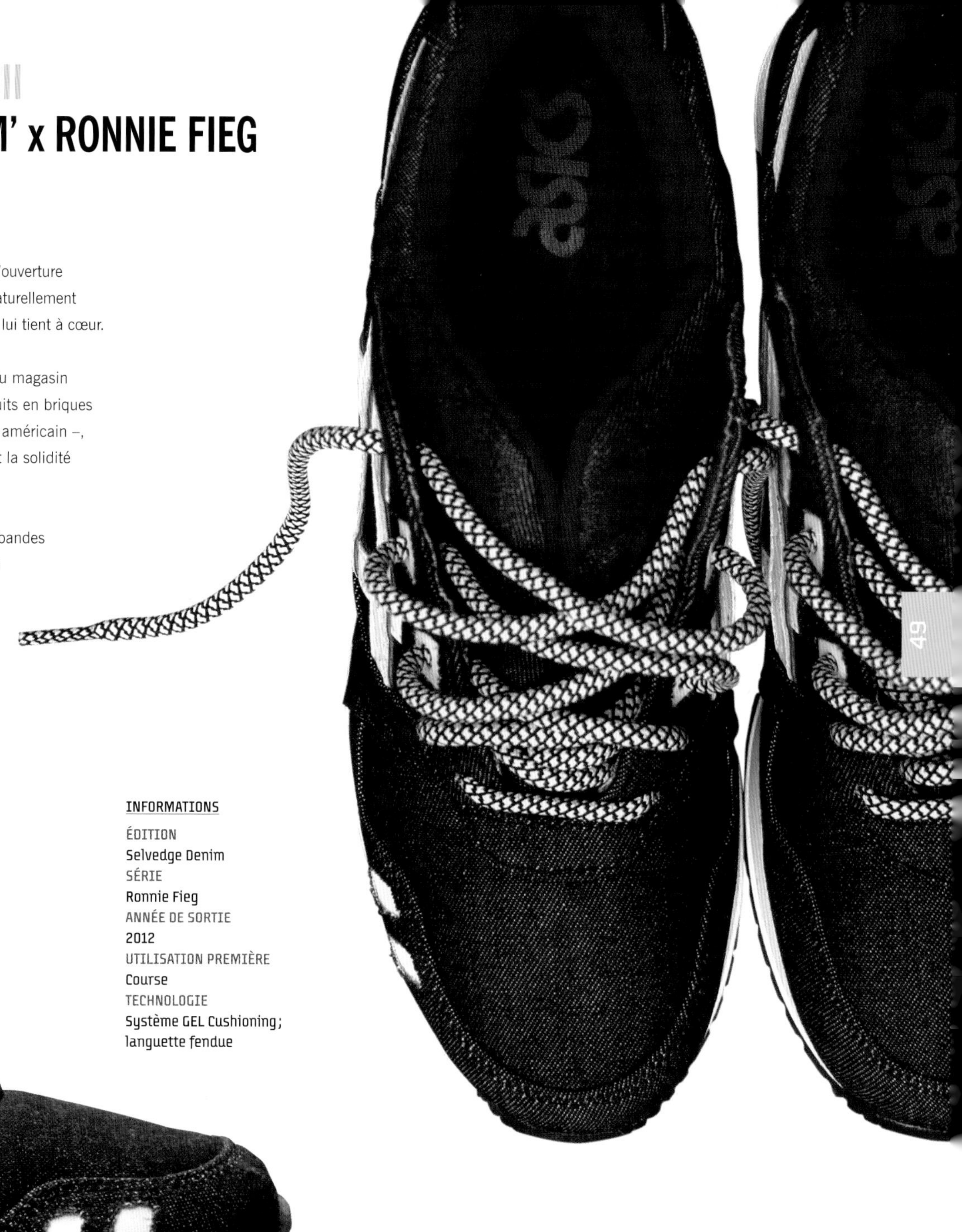

INFORMATIONS

ÉDITION
Selvedge Denim
SÉRIE
Ronnie Fieg
ANNÉE DE SORTIE
2012
UTILISATION PREMIÈRE
Course
TECHNOLOGIE
Système GEL Cushioning; languette fendue

ASICS GEL-SAGA II
'MAZARINE BLUE' x RONNIE FIEG

L'EFFET PAPILLON

La collaboration de Ronnie Fieg avec ASICS remonte à l'époque où il travaillait dans le magasin new-yorkais David Z, où il commença à l'âge de 15 ans ; pendant cette période, il produisit un grand nombre de collections mémorables avec la marque japonaise.

Inspiré par la couleur unique du papillon bleu de Mazarine, le modèle se compose d'une tige en nubuck avec une empeigne et des panneaux latéraux perforés, d'œillets supérieurs, d'une doublure et d'une semelle intermédiaire noirs, pour un effet contrastant.

Seules trois cents paires furent produites, les deux magasins KITH possédant quatre-vingt-dix paires chacun, accompagnées d'un blouson d'université canadien molletonné assorti. Les autres paires furent distribuées à des comptes ASICS choisis.

INFORMATIONS

ÉDITION
Mazarine Blue
GAMME
Ronnie Fieg
ANNÉE DE SORTIE
2011
UTILISATION PREMIÈRE
Course
TECHNOLOGIE
Système GEL Cushioning

INFORMATIONS

ÉDITION
'Super Red 2.0'
PACK
Ronnie Fieg
ANNÉE DE SORTIE
2012
UTILISATION PREMIÈRE
Running
TECHNOLOGIE
GEL Cushioning System

ASICS GT-II 'SUPER RED 2.0' x RONNIE FIEG

RONNIE FIEG VOIT ROUGE

Cette édition 2012 était une version revue au goût du jour des Super Red Gel-Lyte III de Ronnie Fieg, vendues dans le magasin new-yorkais David Z en 2010.

Pour cette version, Fieg travailla sur une GT-II qui se distinguait par une tige en daim peau de porc entièrement rouge Super Red, rehaussée d'accents de gris autour des bandes et d'une semelle grise à deux tons.

Ce modèle ne fut proposé que dans les magasins KITH et sur leur site Internet et il se vendit presque immédiatement.

ASICS GT-II
'OLYMPIC TEAM NETHERLANDS'

INFORMATIONS

ÉDITION
Olympic Team Netherlands
ANNÉE DE SORTIE
2012
UTILISATION PREMIÈRE
Course
TECHNOLOGIE
Système GEL Cushioning

ASICS SPONSOR DE LA HOLLANDE

Aux jeux Olympiques de Londres de 2012, chaque marque souhaitait représenter son pays, y compris le sponsor de l'équipe des Pays-Bas, ASICS, qui avait choisi le modèle GT-II pour les JO. Ces baskets, portées par l'équipe néerlandaise lors des cérémonies d'ouverture et de fermeture, étaient les chaussures officielles de la délégation pour les athlètes hollandais.

Assorti à la bande orange néerlandaise, le modèle se distinguait par une tige en daim et Nylon à dominante orange, agrémentée de bandes blanches en cuir bordées de 3M, de Nylon blanc sur l'empeigne et de suède synthétique au niveau des lacets et du talon.

On remarquait également l'inscription « 2012 » sur les ferrets des lacets, les couleurs du drapeau hollandais sur la semelle et deux des œillets supérieurs, le logo de la marque ASICS en doré sur l'étiquette de la languette et un texte au niveau du talon, ainsi que l'inscription « Nederland » sur la semelle intérieure.

Ces baskets furent vendues dans le monde entier via des comptes ASICS choisis, avec une version test sortie une semaine avant dans le magasin SEVENTYFIVE d'Amsterdam, où soixante-quinze paires furent vendues avec un sac spécial jeux Olympiques.

INFORMATIONS

ÉDITION
Wildcats
SÉRIE
Hanon
ANNÉE DE SORTIE
2011
UTILISATION PREMIÈRE
Course
TECHNOLOGIE
Système GEL Cushioning ; languette fendue
PLUS
Sac

ASICS GEL-LYTE III x HANON 'WILDCATS'

EN AVANT LES WILDCATS !

En 2011, Hanon Shop d'Aberdeen s'associa avec ASICS pour créer sa propre version du modèle classique Gel-Lyte III.

Tirant son inspiration d'un club de course à pied local du nom de « The Wildcats » (Les chats sauvages), Hanon remplaça les matériaux habituels par des choix plus luxueux, optant pour une tige en daim perforée jaune moutarde et bordeaux et une doublure tissée. Le logo « Keeps on Burning » (continue à brûler) d'Hanon figurait sur les bandes unies en 3M, avec deux autres marques sur l'étiquette de la languette, le talon et la semelle intérieure.

Les cinquante premiers clients reçurent un sac sur mesure arborant deux marques, tandis que toutes les autres paires vendues par Hanon furent accompagnées d'un sac marqué du logo.

Les Wildcats furent exclusivement vendues via Hanon au Royaume-Uni et dans quelques magasins choisis du monde.

ASICS GEL-LYTE III
x ALIFE RIVINGTON CLUB

RIVINGTON OU LE SUCCÈS ASSURÉ

Pendant l'été 2008, toute association avec le magasin de baskets Alife Rivington Club du Lower East Side de New York était synonyme de succès. De nombreuses marques travaillèrent ainsi en collaboration avec le collectif Alife, proposant toute une gamme de modèles à ceux qui se rendaient dans le magasin new-yorkais.

Vendues par lot de deux paires, ces baskets arboraient plusieurs couleurs et détails pour un résultat du plus bel effet. L'étiquette apposée à l'extérieur du talon se distinguait des marques imprimées traditionnellement utilisées par la plupart des fabricants, tandis que le Nylon et le daim associés sur la tige dans un mélange de couleurs curry / blanc / bleu donnaient une impression de qualité. Une version gris anthracite fut éditée également à la même période.

Ces baskets sortirent pendant l'été 2008 et se vendirent en un rien de temps, en magasin comme en ligne.

INFORMATIONS

ÉDITION
Alife Rivington Club
ANNÉE DE SORTIE
2008
UTILISATION PREMIÈRE
Course
TECHNOLOGIE
Système GEL Cushioning

ASICS GEL-LYTE III x SLAM JAM '5TH DIMENSION'

ASICS ATTEINT LA CINQUIÈME DIMENSION

La boutique milanaise Slam Jam revisita les populaires chaussures de course d'ASICS en 2010, appliquant un mélange de tissus mesh avec pour objectif d'associer des couleurs simples à des textures élaborées.

La chaussure arbore ainsi un mélange de gris clair et de gris foncé qui s'estompent pour laisser place à un rouge feu rehaussé d'accents bleu vif. La semelle intermédiaire inclinée passe du rouge au blanc à l'extérieur et du noir au blanc sur la partie médiale.

Le terme « 5th Dimension » fait référence à la théorie qu'il existe une autre dimension, à l'intérieur de laquelle les choix que nous faisons dans la vie produiront des résultats différents.

Un pack spécial – incluant une paire de chaussettes assorties, un sac à cordon et un disque – fut exclusivement vendu chez Slam Jam, dans la limite de quatre-vingt-seize exemplaires, tandis que les baskets elles-mêmes furent éditées en deux cent soixante-seize exemplaires, distribuées chez une sélection de revendeurs ASICS dans le monde.

INFORMATIONS

ÉDITION
5th Dimension
SÉRIE
Slam Jam
ANNÉE DE SORTIE
2010
UTILISATION PREMIÈRE
Course
TECHNOLOGIE
Système GEL Cushioning ; languette fendue
PLUS
Lacets supplémentaires ; disque vinyle ; sac à cordon ; chaussettes

ASICS GT-II x SNS 'SEVENTH SEAL'

ÉCHEC ET MAT

À la suite d'une collaboration avec ASICS sur les GT-II en 2011, Sneakersnstuff fut invité à travailler de nouveau sur le modèle en 2012 et choisit cette fois un motif échiquier.

Le projet fut inspiré par le célèbre film suédois *Le Septième Sceau* d'Ingmar Bergman, de 1957, qui avait pour thème la quête d'un chevalier médiéval jouant aux échecs avec la Mort pour trouver des réponses à ses questions.

Le modèle se composait d'une tige en nubuck noir de qualité supérieure, avec des pièces de jeu d'échecs représentées sur la semelle intérieure et le talon, une doublure à carreaux noirs et blancs et des bandes en 3M tour à tour blanches et noires sur les parties latérale et médiale de la chaussure.

Une sortie mondiale était initialement prévue mais en raison d'un vice de fabrication qui fit apparaître certaines pièces d'échecs bleues au lieu de blanches, cent cinquante-huit paires seulement furent proposées à la vente *via* le magasin Sneakersnstuff et en ligne.

INFORMATIONS

ÉDITION
Seventh Seal
SÉRIE
SNS
ANNÉE DE SORTIE
2012
UTILISATION PREMIÈRE
Course
TECHNOLOGIE
Système GEL Cushioning

ASICS GT-II **PROPER**

INFORMATIONS

ÉDITION
PROPER
ANNÉE DE SORTIE
2004
UTILISATION PREMIÈRE
Course
TECHNOLOGIE
Système GEL Cushioning

COURSE À LONG BEACH

En 2004, les collaborations avec des marques de chaussures constituaient un concept relativement nouveau et le choix de chaussures offert à des partenaires potentiels était limité.

Travailler avec une marque spécialiste telle qu'ASICS représentait une opportunité intéressante pour le magasin de chaussures PROPER. Le siège d'ASICS étant très proche du magasin PROPER à Long Beach, Californie, il existait un véritable lien entre les deux sociétés.

Les chaussures de course classiques GT-II furent judicieusement choisies pour cette collaboration ; elles se distinguaient par leur silhouette élancée avec de nombreux panneaux pour laisser libre cours à la créativité. Pour cette édition, des morceaux de tissu Ripstop alternaient avec du daim et du Nylon vert olive, le tout égayé par une touche orange vif, les célèbres bandes ASICS étant noires.

La GT-II PROPER fut produite en cent cinquante exemplaires seulement, exclusivement disponibles dans le magasin de Long Beach.

ASICS GEL-SAGA II x FOOTPATROL

INFORMATIONS

ÉDITION
Footpatrol
ANNÉE DE SORTIE
2012
UTILISATION PREMIÈRE
Course
TECHNOLOGIE
Système GEL Cushioning
PLUS
Lacets supplémentaires ; sac ; boîte en bois

UNE SAGA LONDONIENNE

Pour cette réédition 2012 de la Gel-Saga II, ASICS s'associa au magasin de baskets Footpatrol basé à Londres.

Ce modèle tira son inspiration de l'intérieur du magasin Footpatrol et utilisa des matériaux naturels, tels que le bois et le caoutchouc. La chaussure était asymétrique, les bandes du logo sur le côté se distinguant par des matériaux 3M réfléchissants, tandis que d'autres détails asymétriques figuraient sur le renfort du talon et la semelle intérieure. La belle tige en daim couleur camel était agrémentée d'accents bleus.

La Gel-Saga II fut d'abord exclusivement vendue dans le magasin Footpatrol de Soho avec deux jeux de lacets supplémentaires et un sac en édition limitée. Les cent premiers clients qui achetèrent ce modèle profitèrent également d'une boîte à chaussures en bois numérotée. Une semaine plus tard, la Gel-Saga II était expédiée dans le monde entier.

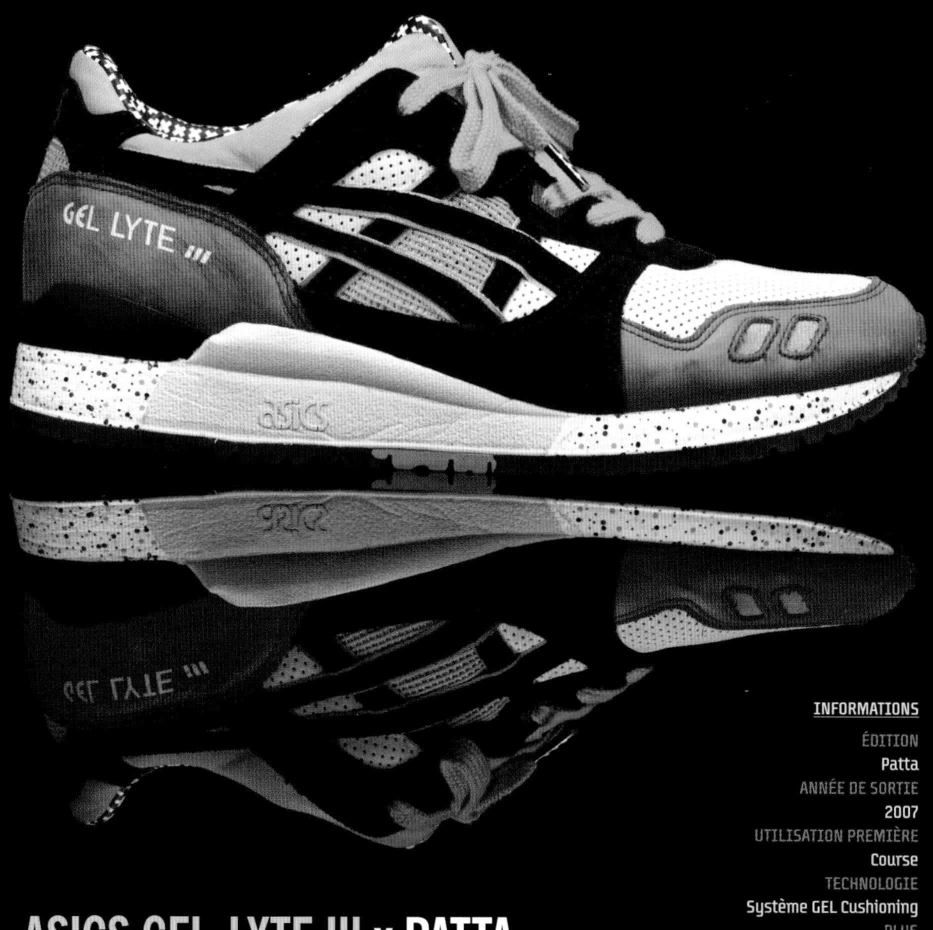

INFORMATIONS

ÉDITION
Patta
ANNÉE DE SORTIE
2007
UTILISATION PREMIÈRE
Course
TECHNOLOGIE
Système GEL Cushioning
PLUS
Sac à dos

ASICS GEL-LYTE III x PATTA

LE PREMIER D'UNE LONGUE SÉRIE POUR PATTA

Pour sa première collaboration avec ASICS, le magasin de baskets hollandais Patta souhaitait réaliser un modèle dont on se souviendrait à coup sûr.

S'inspirant des armoiries rouges, blanches et noires de la ville d'Amsterdam, Patta utilisa ces couleurs sur plusieurs panneaux aux côtés de son propre vert Patta. Les croix des armoiries figuraient sur la doublure en cuir, des semelles intérieures dépareillées et une semelle mouchetée. Du cuir, du cuir perforé, du daim et du 3M composaient la tige du modèle.

Chacune des deux cent cinquante paires fut commercialisée avec un sac à dos assorti. Une collection capsule de tee-shirts, casquettes et un blouson d'université furent également produits pour commémorer cette collaboration.

CONVERSE

Le modèle Chuck Taylor de Converse, omniprésent, est aujourd'hui l'un des plus reconnus dans le monde, adopté par toute une série de sous-cultures. Associée depuis longtemps à la musique, la mode de rue et la culture urbaine, cette chaussure est devenue un élément de base de la vie de tous les jours pour de nombreuses personnes de par le monde.

Outre le classique Chuck Taylor, les archives Converse contiennent plusieurs autres modèles qui ont eu beaucoup d'influence et ont marqué la culture de la basket. Les Pro Leather et One Star furent des modèles sérieux qui attirèrent l'attention au moment de leur sortie et qui suscitent aujourd'hui encore l'intérêt.

La large tige du modèle Chuck Taylor – et la simplicité des modèles Converse d'une manière générale –

offre un point de départ idéal pour les collaborations. Converse en a tiré parti avec beaucoup de succès dans un grand nombre de collaborations remarquables, souvent au sein de la gamme supérieure First String qui propose des éditions de grande qualité en nombre limité.

Depuis Footpatrol à Londres (page 68), Patta à Amsterdam (page 69) et Mita Sneakers à Tokyo (page 65) – tous des magasins spécialisés dans les baskets –, de nombreux modèles Converse ont été revisités. Mais c'est l'incursion dans le monde de la haute couture avec la marque italienne Missoni (page 72) et la collaboration de Converse avec le spécialiste canadien de la laine polaire et du coton fin, Reigning Champ (page 73), qui ont vraiment mis en évidence le souhait de la marque de s'orienter vers d'autres directions avec de nouveaux partenaires peu communs.

D'autres initiatives, telles que la campagne pour (Product)Red (page 64) – un projet caritatif faisant des dons à la recherche sur le sida –, montrent comment les marques peuvent faire preuve d'ambition créative tout en favorisant la responsabilité sociale.

CONVERSE CHUCK TAYLOR ALL STAR 'CLEAN CRAFTED' x OFFSPRING

DES CHUCK TAYLORS SUR MESURE

Ce modèle intemporel dédié au basket-ball a été revisité avec toutes sortes de matériaux et de couleurs au fil des ans mais la série Clean Crafted, du revendeur Offspring, basé au Royaume-Uni, mit la barre haut.

Offspring éleva la Chuck Taylor à un nouveau degré de sophistication en utilisant des tiges entièrement composées de cuir supérieur (y compris l'empeigne habituellement caoutchoutée) et des lacets en cuir.

Tous les modèles arboraient la mascotte Offspring imprimée en relief à l'intérieur de la languette.

Les cent cinquante paires produites furent exclusivement disponibles dans les boutiques Offspring.

INFORMATIONS

ÉDITION
Offspring
SÉRIE
Clean Crafted
ANNÉE DE SORTIE
2010
UTILISATION PREMIÈRE
Basket-ball
TECHNOLOGIE
Renfort au niveau des orteils ; semelle vulcanisée

CONVERSE (PRODUCT)RED CHUCK TAYLOR ALL STAR HI

INFORMATIONS

ÉDITION
(Product)Red

ANNÉE DE SORTIE
2009

UTILISATION PREMIÈRE
Basket-ball

TECHNOLOGIE
Renfort au niveau des orteils; semelle vulcanisée

PLUS
Grand sac

ACTE DE CHARITÉ

Existant depuis près d'un siècle, le modèle All Star est un classique vénérable et immédiatement reconnaissable. En 2009, une édition spéciale All Star Hi fut réalisée à l'initiative de (Product)Red, pour lequel des marques créèrent des produits uniques. Un pourcentage du bénéfice était reversé au Fonds mondial de lutte contre le sida en Afrique.

Une veste de moto inspira cette All Star, avec une tige divisée de manière peu conventionnelle en de multiples panneaux entièrement composés de cuir rouge tendre, y compris l'empeigne.

Des fermetures ultra-résistantes, des fermoirs et une doublure matelassée renforçaient l'influence motard.

CONVERSE CHUCK TAYLOR ALL STAR TYO CUSTOM MADE HI x MITA SNEAKERS

À VÉLO SOUS LA PLUIE

Mita Sneakers, de Tokyo, s'associa avec Converse pour cette All Star TYO Custom Made Hi, une réédition moderne et high-tech de la Chuck Taylor classique. L'édition de Mita se distinguait par une tige imperméable motif camouflage et une fermeture blanche latérale également imperméable.

La doublure était composée de matériau Thinsulate pour la chaleur, tandis qu'une semelle intérieure sur mesure rendait l'ensemble plus confortable. Le mode de vie de Tokyo ne fut pas perdu de vue pour la réalisation du bout de la chaussure, renforcé par un caoutchouc plus solide, la rendant plus résistante et adaptée à la pratique du vélo.

L'audacieux motif camouflage chasse aux canards fut complété par des œillets en métal et des lacets unis, un imprimé grillage sur la semelle intérieure Converse Tokyo Custom Made terminant le tout.

INFORMATIONS

ÉDITION
Mita Sneakers

ANNÉE DE SORTIE
2012

UTILISATION PREMIÈRE
Basket-ball

TECHNOLOGIE
Renfort au niveau des orteils ; semelle vulcanisée ; Thinsulate ; soufflets

CONVERSE PRO LEATHER MID & OX x BODEGA

BODEGAS À TOMBER

Les idées préconçues sur la Pro Leather furent bouleversées lorsque, en 2012, Converse fit appel à six marques pour revisiter ses lignes simples et épurées pour la collection haut de gamme First String. Stüssy, CLOT, Patta et le revendeur Bodega, basé à Boston, proposèrent des versions intéressantes.

Bodega repoussa les limites avec cette collaboration, travaillant avec des tissus et des appliqués rarement utilisés, tels que des poils de poney, pour donner à cette chaussure de basket-ball un aspect haute couture. Le coloris camel rehaussé de noir minimisa la tige audacieuse et accentua l'impression de luxe.

Le modèle Ox est une autre variante de la Pro Leather, avec une tige en cuir supérieur noir rehaussée d'accents de poils de poney camel. La série fut surnommée « Ride or Die » (pédale ou meurs) et vendue dans les magasins possédant des comptes Converse First String.

INFORMATIONS

ÉDITION
First String
SÉRIE
Bodega Ride or Die
ANNÉE DE SORTIE
2012
UTILISATION PREMIÈRE
Basket-ball
TECHNOLOGIE
Haut de tige matelassé
PLUS
Grand sac ; lacets de rechange

CONVERSE PRO LEATHER MID
x STÜSSY NEW YORK

TOUS LES AMÉRICAINS JOIGNENT LEURS FORCES

Lorsque Stüssy fut invité à participer au projet Pro Leather de Converse, la marque de streetwear basée aux États-Unis souhaitait faire de ce modèle classique l'icône cent pour cent américaine qu'il est.

Il y parvint en s'inspirant de la scène de la mode de New York dans les années 1990 – une époque à laquelle Stüssy est souvent associé – et en l'appliquant à la tige du modèle.

Un patchwork de tissus américains incluait un plaid, différents tons de jean, du velours côtelé ainsi que le drapeau étoilé américain, subtilement utilisé le long de la baguette du talon. L'empeigne était composée de daim premium. Limitées à cent vingt-cinq paires, ces chaussures furent exclusivement vendues dans le magasin Stüssy de New York.

INFORMATIONS

ÉDITION
First String
SÉRIE
Stüssy New York
ANNÉE DE SORTIE
2012
UTILISATION PREMIÈRE
Basket-ball
TECHNOLOGIE
Haut de tige matelassé
PLUS
Grand sac ; lacets supplémentaires

CONVERSE PRO LEATHER MID & OX x FOOTPATROL

FOOTPATROL PASSE AU NIVEAU SUPÉRIEUR

Le modèle rendu célèbre par la légende de la NBA, Julius Erving, alias Dr J, finit par obtenir la reconnaissance mondiale qu'il méritait en 2012, lorsque Converse produisit une série des First String Pro Leather Mid and Ox en collaboration avec quelques grands noms des baskets.

Footpatrol édita deux versions unies, se distinguant par une tige en nubuck premium rehaussée d'un motif aztèque délicatement brodé sur la languette, la baguette du talon et la semelle intérieure. La marque apparaissait à plusieurs endroits, comme sous la forme d'un masque à gaz imprimé sur le côté extérieur du talon de la chaussure, d'un « FP » brodé au niveau du talon et d'un logo sur la semelle intérieure du pied droit.

Le modèle Mid ne fut édité qu'à cent dix exemplaires et le modèle Ox à quarante. Footpatrol produisit également deux tee-shirts personnalisés assortis aux chaussures – un couleur menthe et un violet – avec le motif aztèque imprimé sur la poche poitrine. Cinquante tee-shirts de chaque couleur furent mis en vente.

INFORMATIONS

ÉDITION
First String
SÉRIE
Footpatrol
ANNÉE DE SORTIE
2012
UTILISATION PREMIÈRE
Basket-ball
TECHNOLOGIE
Haut de tige matelassé
PLUS
Grand sac ; lacets supplémentaires

CONVERSE PRO LEATHER MID & OX x PATTA

PATTA A LA MAIN VERTE

Les versions Patta des modèles Converse de 2012, First String Pro Leather Mid et Ox, furent lancées pour coïncider avec l'ouverture du nouveau magasin de baskets hollandais rue Zeedijk, à Amsterdam.

S'inspirant du jardinage, Patta utilisa des tons terre pour les deux modèles : un brun clair pour les Mid et un vert olive pour les Ox, appliqués sur des tiges extrêmement résistantes en Cordura.

Ce tissu militaire fut ensuite égayé par des touches de couleur. Le modèle Mid fut rehaussé par un intérieur en velours magenta et une semelle violet foncé. Le violet fut également utilisé pour la doublure du modèle Ox.

Un tee-shirt exclusif Converse x Patta fut parallèlement mis en vente en magasin uniquement.

INFORMATIONS

ÉDITION
First String
SÉRIE
Patta
ANNÉE DE SORTIE
2012
UTILISATION PREMIÈRE
Basket-ball
TECHNOLOGIE
Haut de tige matelassé
PLUS
Tee-shirt ; grand sac ; lacets supplémentaires

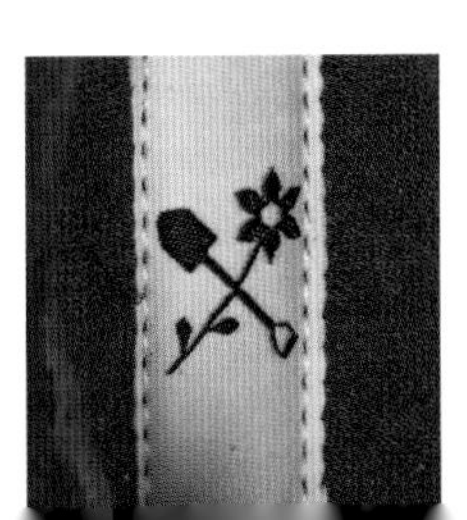

CONVERSE PRO LEATHER & OX x CLOT

RENCONTRE EST/OUEST

La marque de streetwear CLOT, basée à Hong Kong, a poursuivi les collaborations avec la First String Pro Leather de Converse à l'est en 2012.

Pour cet hommage à la Pro Leather, CLOT choisit un aspect vintage, mettant en valeur le riche héritage de la chaussure de basket-ball et son adoption dans les mondes de la mode et de la musique.

Contrairement à ce que pourrait laisser penser le nom du modèle, sa tige était en toile délavée bordée de coton supérieur sur une semelle intermédiaire blanc cassé. La couleur rappelait celle de la Pro Leather d'origine, CLOT apportant son rouge caractéristique pour la marque apposée sur le modèle Mid. La version basse du modèle Ox arborait le même aspect vintage avec une touche de couleur de la version Mid.

Des tee-shirts rouges et blancs assortis furent également produits pour coïncider avec la sortie des deux modèles.

La collection First String fut inaugurée dans le magasin phare de CLOT, JUICE, à Hong Kong, puis suivie d'une sortie générale dans les autres magasins JUICE de Hong Kong, Shanghai, Taipei et Kuala Lumpur.

INFORMATIONS

ÉDITION
First String
SÉRIE
CLOT
ANNÉE DE SORTIE
2012
UTILISATION PREMIÈRE
Basket-ball
TECHNOLOGIE
Haut de tige matelassé

CONVERSE PRO LEATHER & AUCKLAND RACER x ALOHA RAG

INFORMATIONS

ÉDITION
First String
SÉRIE
Aloha Rag / AR SRPLS
ANNÉE DE SORTIE
2012
UTILISATION PREMIÈRE
Basket-ball ; course
TECHNOLOGIE
Haut de tige matelassé ; semelle intermédiaire EVA double densité ; laser

LE SALUT MILITAIRE D'ALOHA

Cette collaboration de 2012 fut la deuxième d'Aloha Rag avec Converse ; la première avait célébré le 20e anniversaire du magasin de haute couture basé à Hawaii en 2011. Les deux modèles issus de ces collaborations furent lancés sous la propre marque d'Aloha Rag, AR SRPLS, sous la forme de collections inspirées par l'univers miliaire.

Cette série se distinguait par deux modèles, la Pro Leather et l'Auckland Racer, tous deux composés d'un mélange de cuir et de toile de qualité supérieure. La Pro Leather présentait une tige en cuir blanc avec des accents de daim et une semelle en gomme. Des étoiles gravées au laser sur le côté de la chaussure évoquaient les casiers réservés à l'équipement militaire, tandis que la touche d'imprimé camouflage complétait le thème.

Le modèle Auckland Racer, léger et souple, s'inspira des bottes style commando. Du cuir de chèvre africaine recouvrait 50 % de la chaussure, lui assurant une solidité maximale.

CONVERSE x MISSONI

INFORMATIONS

ÉDITION
Missoni
ANNÉE DE SORTIE
2010
UTILISATION PREMIÈRE
Basket-ball ; course
TECHNOLOGIE
Renfort au niveau des orteils ; semelle vulcanisée ; semelle en caoutchouc

UN STYLE ITALIEN CARACTÉRISTIQUE

La gamme Converse First String vise à éditer des produits haut de gamme pour la marque en collaboration avec des partenaires choisis. Parmi eux on peut citer Kicks Hawaii, Sak, Bodega, Reigning Champ et, bien évidemment, Missoni.

En 2010, Converse se tourna vers le monde de la mode. Il en résulta une fusion entre les modèles classiques de Converse et les tissus extrêmement riches de la maison de haute couture italienne.

La collection Missoni a inclus une série d'All Star Hi de conception élégante aux nombreux motifs et matériaux caractéristiques, ainsi qu'un modèle Auckland Racer rehaussé de fil de cuivre (ci-dessous à gauche) et une collection de Pro Leather Hi (ci-dessous).

L'héritage de la marque et un grand savoir-faire vont de pair, ce qui explique pourquoi les deux marques ont facilement travaillé ensemble dans le cadre de leurs collaborations.

CONVERSE ALL STAR LO
x REIGNING CHAMP

CHAMP DE COTON

Tandis que Converse est devenu emblématique grâce à sa longue association avec le monde du sport, CYC Design Corp. s'est fait un nom en fournissant des vêtements en coton de qualité supérieure à Supreme et Alife. En 2008, il créa sa propre marque, Reigning Champ, avec pour objectif de produire des sweat-shirts, tee-shirts et vêtements en coton de très grande qualité.

On trouvait déjà auparavant des baskets avec des tiges en coton mais sans aucune comparaison possible avec l'épais coton éponge canadien utilisé pour les All Star Lo.

Parmi les autres détails, on remarquait les œillets noir mat assortis à certains des détails trouvés sur les vêtements de Reigning Champ, des lacets naturels et assortis, un intérieur doublé de tissu d'Oxford, les noms des deux marques sur la languette et la semelle intérieure, et la classique semelle extérieure en caoutchouc gomme Chuck Taylor.

INFORMATIONS

ÉDITION
Reigning Champ
ANNÉE DE SORTIE
2012
UTILISATION PREMIÈRE
Basket-ball
TECHNOLOGIE
Renfort au niveau des orteils ; semelle vulcanisée
PLUS
Grand sac

CONVERSE PRO LEATHER x JORDAN BRAND

INFORMATIONS

ÉDITION
Jordan Brand
SÉRIE
Limited ÉDITION
Commemorative Pack
ANNÉE DE SORTIE
2012
UTILISATION PREMIÈRE
Basket-ball
TECHNOLOGIE
Haut de tige matelassé
PLUS
Boîte en bois dur ;
maillot de basket-ball ;
chaussures signées

LES 30 ANS DU NUMÉRO 23

Lorsque Michael Jordan marqua le jump-shot qui lui permit de remporter la partie dans les dernières secondes de la finale NCAA de 1982 pour l'université de Caroline du Nord (UNC), il portait une paire de Converse Pro Leather.

Pour commémorer les trente ans de ce tir mémorable, Jordan Brand et Converse s'associèrent afin de créer cette série anniversaire en édition limitée uniquement distribuée *via* une vente aux enchères exclusive en ligne.

La série se distinguait par les couleurs bleu et blanc que portait Jordan le fameux soir, les Pro Leather taille 13 arborant par ailleurs un motif basket-ball « UNC 23 » avec l'emblématique logo « Jumpman » imprimé sur les semelles intérieures. Le maillot de l'université de Caroline du Nord et les baskets Pro Leather étaient tous deux personnellement signés par Michael Jordan et proposés dans une luxueuse boîte en bois dur.

Trente paires individuellement numérotées furent commandées ; Jordan en garda sept et vingt-trois furent vendues aux enchères. Tous les bénéfices furent reversés à la Fondation James R. Jordan.

INFORMATIONS

ÉDITION
Number (N)ine
ANNÉE DE SORTIE
2010
UTILISATION PREMIÈRE
Basket-ball
TECHNOLOGIE
Renfort au niveau des orteils ; semelle vulcanisée

DES STARS EN DEVENIR

Une marque de mode japonaise expérimentale décida de changer l'aspect intemporel des modèles Converse All Star Ox et One Star Ox. Takahiro Miyashita revisita ainsi l'édition Number (N)ine en s'inspirant du modèle de Converse préféré de son enfance, l'Odessa. Le Number (N)ine intégra le laçage asymétrique de l'Odessa avec une tige en daim peau de cerf supérieur. La One Star et l'All Star Ox de Miyashita (ici représentée en jaune) arboraient des caractéristiques d'origine de la One Star et de l'All Star dans les panneaux des chaussures et les œillets couleur argent. Chaque version présentait aussi une étoile métallique sur le côté du talon, dorée pour l'All Star et argent pour la One Star.

CONVERSE ASYMMETRICAL ALL STAR OX & ONE STAR OX x NUMBER (N)INE

NEW BALANCE

Après des débuts modestes en tant que New Balance Arch Company, un fabricant de chaussures orthopédiques spécialisé dans les supports de soutien de la voûte plantaire et les chaussures orthopédiques, New Balance s'est agrandi pour devenir une société de chaussures de sport emblématique avec des sites de production aux États-Unis et au Royaume-Uni, une rareté dans la chaîne d'approvisionnement et de fabrication aujourd'hui de plus en plus centrée sur l'Asie. Ses gammes Made in UK et Made in the USA

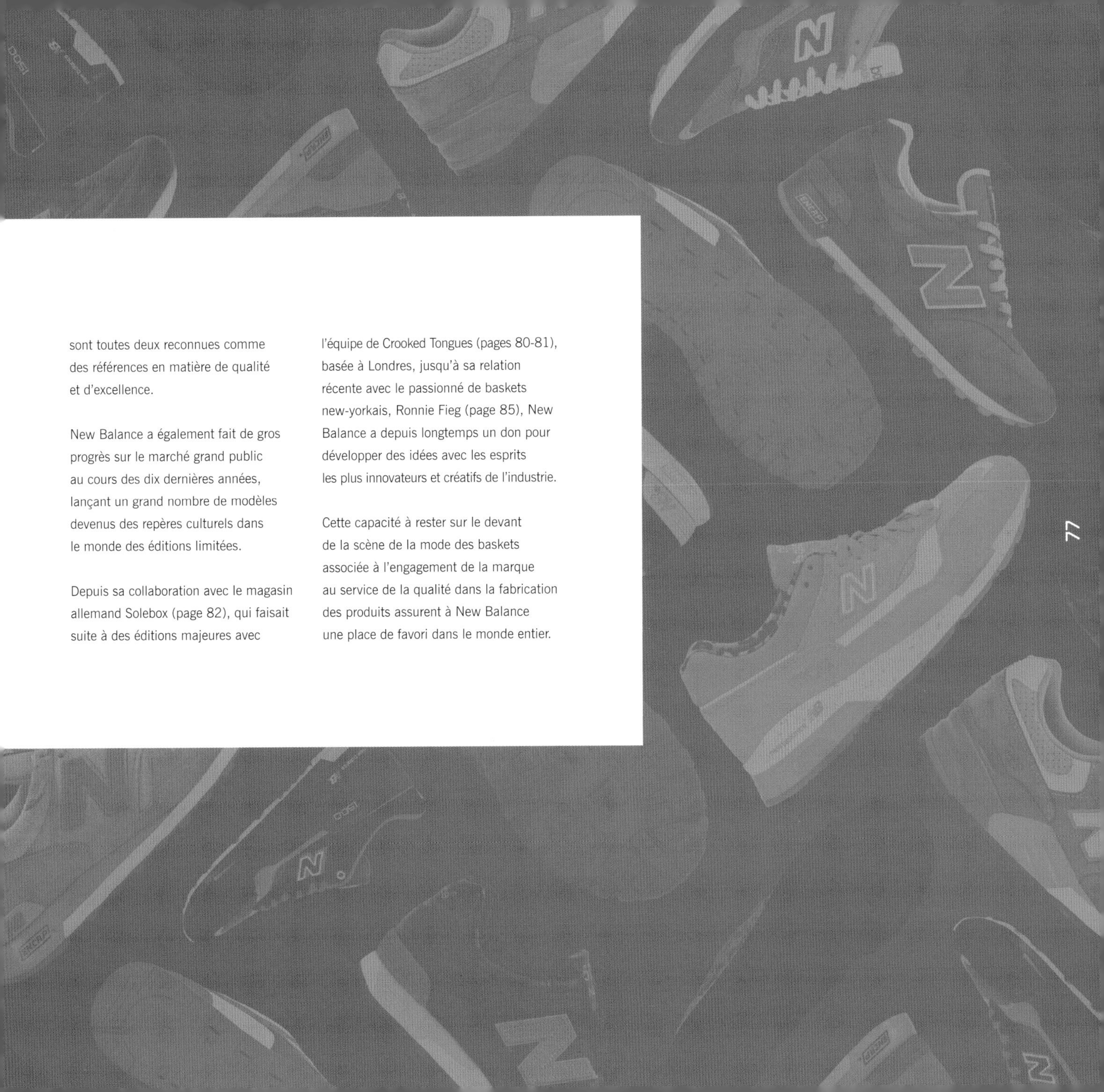

sont toutes deux reconnues comme des références en matière de qualité et d'excellence.

New Balance a également fait de gros progrès sur le marché grand public au cours des dix dernières années, lançant un grand nombre de modèles devenus des repères culturels dans le monde des éditions limitées.

Depuis sa collaboration avec le magasin allemand Solebox (page 82), qui faisait suite à des éditions majeures avec l'équipe de Crooked Tongues (pages 80-81), basée à Londres, jusqu'à sa relation récente avec le passionné de baskets new-yorkais, Ronnie Fieg (page 85), New Balance a depuis longtemps un don pour développer des idées avec les esprits les plus innovateurs et créatifs de l'industrie.

Cette capacité à rester sur le devant de la scène de la mode des baskets associée à l'engagement de la marque au service de la qualité dans la fabrication des produits assurent à New Balance une place de favori dans le monde entier.

NEW BALANCE x OFFSPRING

PAS SEULEMENT FONCTIONNELLES

La division Made in UK de New Balance a toujours maintenu de solides relations avec les magasins de sport, mais c'est Offspring, à Londres, qui est devenu l'un de ses premiers comptes mode et a contribué à propulser la marque dans les esprits des connaisseurs en matière de style.

Les deux marques ont décidé de sceller leur nouvelle relation en célébrant les quatre magasins londoniens d'Offspring par la première collaboration New Balance Made in UK avec une autre marque.

Les baskets ont été fabriquées dans l'usine New Balance de Flimby. Chacun des magasins d'Offspring a été représenté dans les modèles et a vu son numéro cousu sur le talon. Il en a résulté une série de quatre modèles inspirés par une palette de couleurs automnales.

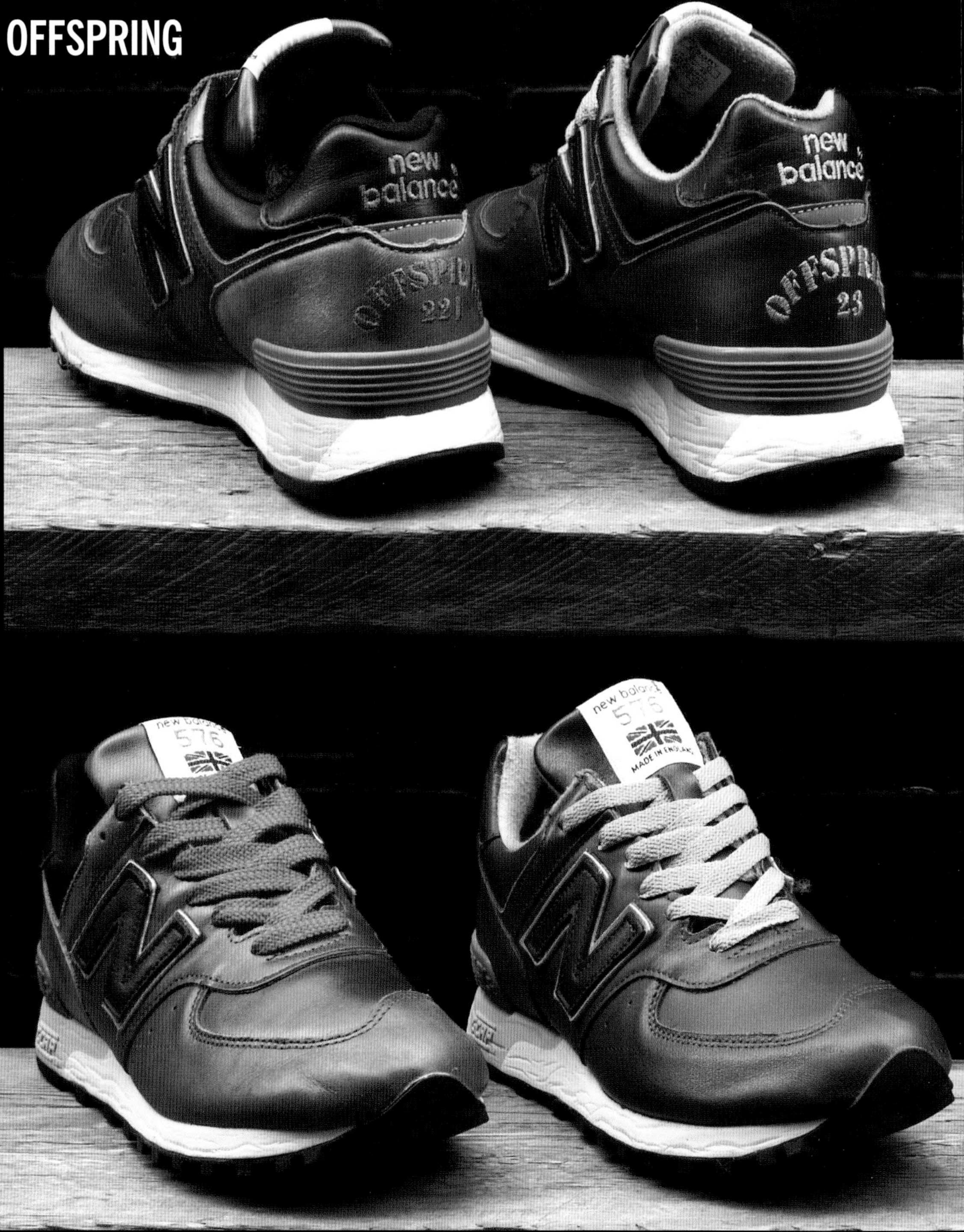

INFORMATIONS

ÉDITION
Offspring
ANNÉE DE SORTIE
2001
UTILISATION PREMIÈRE
Course
TECHNOLOGIE
C-Cap

NEW BALANCE M577 'BLACK SWORD' x CROOKED TONGUES & BJ BETTS

INFORMATIONS

ÉDITION
Crooked Tongues Black Sword
SÉRIE
Confederation of Villainy
ANNÉE DE SORTIE
2006
UTILISATION PREMIÈRE
Course
TECHNOLOGIE
ENCAP
PLUS
Double boîte personnalisée ; lacets supplémentaires

LE BANDIT CHINOIS SE FAIT TATOUER

Représentant les nationalités de quatre membres de l'équipe de Crooked Tongues, chaque modèle de la série New Balance Confederation of Villainy fait référence à un gangster notoire issu de la ville natale du membre de l'équipe.

Le modèle M577 de la série fut nommé Black Sword et représentait Song Jiang, le chef d'une bande de hors-la-loi chinois qui vivait à Shanghai pendant la dynastie Song.

Chaque modèle de la série se distinguait par un œillet supérieur blanc, des matériaux de qualité et une touche de couleur.

Des boîtes personnalisées accompagnaient chaque paire de chaussures, décorées par des œuvres uniques du tatoueur BJ Betts qui personnifiait les bandits. Chaque modèle fut édité en quatre-vingt-dix-neuf exemplaires, uniquement vendus en ligne par Crooked Tongues.

NEW BALANCE M1500 'BLACKBEARD' x CROOKED TONGUES & BJ BETTS

UNE CHAUSSURE DE COURSE À LA SOMBRE HISTOIRE

La série Confederation of Villainy de New Balance et Crooked Tongues se distinguait par la M1500, qui avait souvent été l'objet de collaborations. Crooked Tongues porta ainsi une attention particulière aux détails afin de produire un modèle unique.

Blackbeard (Barbe Noire) fut le pirate anglais choisi pour représenter la ville de Bristol. Il était connu pour allumer des mèches de poudre à canon dans sa barbe, ce qui explique le choix des couleurs pour ce modèle : un mélange de noir, de gris et de blanc, rehaussé d'une touche de rouge.
La tige associait du cuir et du mesh pour offrir des textures variées, avec des surpiqûres contrastées afin d'ajouter une touche luxueuse.

INFORMATIONS

ÉDITION
Crooked Tongues Blackbeard
SÉRIE
Confederation of Villainy
ANNÉE DE SORTIE
2006
UTILISATION PREMIÈRE
Course
TECHNOLOGIE
ENCAP
PLUS
Double boîte personnalisée ; lacets de rechange

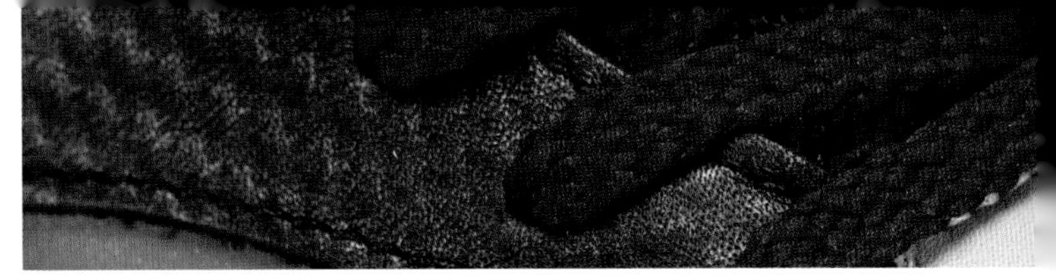

NEW BALANCE M1500 x CROOKED TONGUES x SOLEBOX

UN SANDWICH DE MARQUES

L'année 2005 marqua le premier salon dédié à la mode décontractée, Bread & Butter, à Berlin, où les marques présentèrent leurs futures collections. Les équipes de Crooked Tongues et Solebox en profitèrent pour sortir leur modèle en édition très limitée et exclusive en collaboration avec New Balance.

Imaginée par Chris Law de Crooked Tongues avec Hikmet de Solebox, la chaussure fut inspirée par la palette de couleurs de l'ancien site Internet de Crooked Tongues.

Seules cinquante paires furent produites ; chacune était accompagnée d'une étiquette volante numérotée avec l'inscription « CT-SB » imprimée en relief.

INFORMATIONS

ÉDITION
Crooked Tongues x Solebox
ANNÉE DE SORTIE
2005
UTILISATION PREMIÈRE
Course
TECHNOLOGIE
ENCAP
PLUS
Étiquette volante numérotée personnalisée

INFORMATIONS

ÉDITION
Solebox
SÉRIE
Purple Devils
ANNÉE DE SORTIE
2006
UTILISATION PREMIÈRE
Course
PLUS
ENCAP, C-Cap

NEW BALANCE x SOLEBOX 'PURPLE DEVILS'

TOUT EST DANS LE DÉTAIL

En 2006, l'équipe Solebox édita une série composée de trois modèles de baskets : Made in UK 575, 576 et 1500 (les 1500 et 576 sont illustrés ici) connus sous le nom de Purple Devils.

Chaque modèle se distinguait par une tige majoritairement en daim noir et cuir premium, des touches de 3M, des panneaux avant en daim violet et une semelle intermédiaire blanche classique avec une semelle en gomme caoutchouc contrastante. Les chaussures se distinguaient également par un bijou de lacet Solebox.

Un nombre limité de paires fut édité pour chacun des trois modèles : cent vingt pour le 575 et trois cents seulement pour le 576 et le 1500.

NEW BALANCE M576 x FOOTPATROL

LOGO AU CHOIX

Pour son modèle Made in UK New Balance M576, Footpatrol s'inspira des chaussures de skate de la fin des années 1990 qui se distinguaient par des logos Velcro interchangeables.

L'application de couleurs fluorescentes variées sur une tige en cuir premium assurait l'édition d'un modèle unique ; il était possible d'alterner les nombreux N et lacets de couleur fournis avec la chaussure.

Disponible en noir et en marron, le modèle incluait également une étiquette volante avec un masque à gaz brodé, symbole de la marque Footpatrol, que l'on pouvait ajouter sur le côté de la chaussure.

L'idée séduisit les acheteurs et New Balance sortit plus tard d'autres modèles réalisés dans le même esprit.

INFORMATIONS

ÉDITION
Footpatrol
ANNÉE DE SORTIE
2007
UTILISATION PREMIÈRE
Course
TECHNOLOGIE
C-Cap
PLUS
Lacets supplémentaires ; logos Velcro N et Footpatrol interchangeables

NEW BALANCE ML999 'STEEL BLUE' x RONNIE FIEG & NEW BALANCE M1300 'SALMON SOLE' x RONNIE FIEG

BLEU ACIER

Le créateur new-yorkais Ronnie Fieg et son magasin KITH ont toujours proposé des baskets bien conçues et les deux modèles New Balance de cette page ne font pas exception à la règle.

La collection Steel Blue de Fieg de 2012 contenait de nombreux modèles intéressants, dont ces ML999 Made in USA (en bas à droite). Parmi les détails, on remarquait la marque New Balance imprimée sur le talon et la languette, l'inscription « Just Us » sur les ferrets des lacets et le logo KITH sur les semelles intérieures.

Pour distinguer ce modèle spécial, cent boîtes en bois faites maison, contenant les baskets, une veste à capuche et un sweat-shirt, furent proposées dans les magasins KITH de Manhattan et de Brooklyn. Des versions présentées dans une boîte classique furent également vendues via des magasins New Balance choisis à travers le monde.

Utilisant un thème similaire à celui de ses Salmon Toe ASICS Gel-Lyte III de 2011, Ronnie s'attaqua ensuite au modèle classique New Balance M1300 (en haut à droite). Un blouson d'université exclusif assorti Made in USA de Shades of Grey by Micah Cohen fut également proposé à la vente dans les deux magasins KITH.

INFORMATIONS

ÉDITION
KITH/Ronnie Fieg
ANNÉE DE SORTIE
2012
UTILISATION PREMIÈRE
Course
TECHNOLOGIE
ENCAP

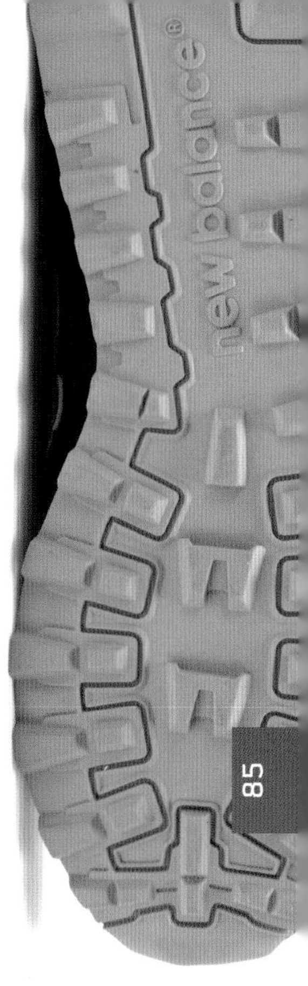

INFORMATIONS

ÉDITION
KITH/Ronnie Fieg
ANNÉE DE SORTIE
2012
UTILISATION PREMIÈRE
Course
TECHNOLOGIE
ABZORB
PLUS
Lacets supplémentaires ; étiquette volante ; boîte en bois ; veste à capuche ; sweat-shirt

INFORMATIONS

ÉDITION
Hanon
SÉRIE
Northern Sole
ANNÉE DE SORTIE
2012
UTILISATION PREMIÈRE
Course
TECHNOLOGIE
ENCAP
PLUS
Boîte en bois ;
sac

NEW BALANCE M1500 'CHOSEN FEW' x HANON

EXPOSÉ NORD

Le magasin Hanon d'Aberdeen ajouta à sa collection New Balance Northern Sole ce modèle M1500, appelé Chosen Few.

S'inspirant des modèles Made in UK de New Balance, Hanon utilisa de nombreux matériaux caractéristiques, tels que le daim européen bleu marine des modèles classiques originaux M577 et M576, pour fabriquer ce modèle.

Ces chaussures se distinguaient également par du daim peau de porc pour la tige, tanné pour être à la fois résistant aux taches et à la décoloration. Avec leurs tons gris et bleus, elles rappelaient d'anciens modèles illustrés dans les catalogues de baskets vintage.

Le modèle fut initialement vendu dans le magasin Hanon, les cinquante premiers clients profitant d'une boîte en bois en édition limitée. Une petite quantité d'exemplaires fut également mise en vente en ligne le lendemain.

NEW BALANCE M576 x HOUSE 33 x CROOKED TONGUES

UNIQUES EN LEUR GENRE

En 2005, Crooked Tongues entretenait des liens étroits avec la fonderie de caractères et marque de vêtements House 33. Alors qu'ils étaient voisins dans le quartier de Soho, à Londres, ils développèrent des relations étroites avec le fondateur des House Industries, Andy Cruz, et le tatoueur BJ Betts, depuis longtemps lié à House 33.

Lorsque les gens de Crooked Tongues eurent l'opportunité de visiter l'usine Made in UK de New Balance, basée à Flimby, Cumbria, ils emportèrent avec eux un cuir premium italien pleine fleur arborant le motif House 33. À partir de là, ils créèrent cette paire unique de New Balance M576. Identifié par les lettres « C.T. » brodées sur la languette de la chaussure droite, et un « H.33. » brodé sur la gauche, ainsi que d'élégants panneaux en mesh, ce modèle constitue une pièce vraiment unique.

INFORMATIONS

ÉDITION
House 33 x
Crooked Tongues
ANNÉE DE SORTIE
2005
UTILISATION PREMIÈRE
Course
TECHNOLOGIE
C-Cap

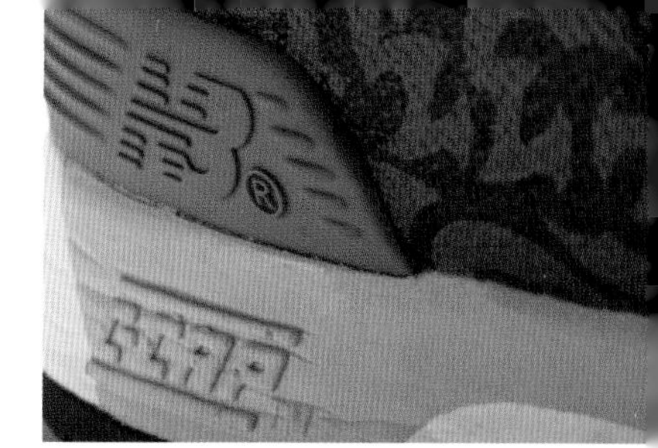

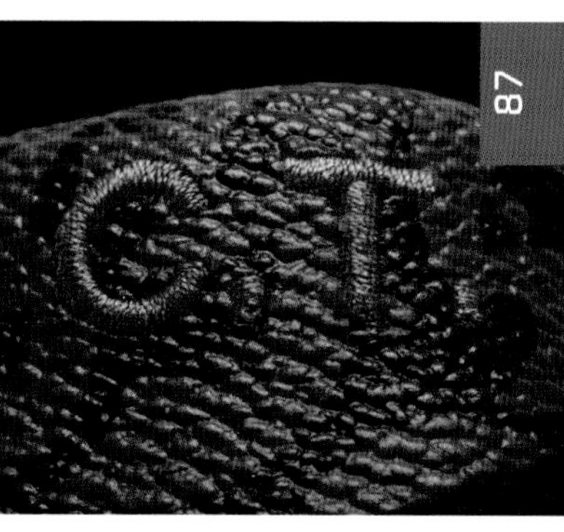

INFORMATIONS

ÉDITION
realmadHECTIC x Mita Sneakers
PACK
10th Anniversary
ANNÉE DE SORTIE
2010
UTILISATION PREMIÈRE
Course
TECHNOLOGIE
Rollbar

NEW BALANCE MT580 '10TH ANNIVERSARY' x REALMADHECTIC x MITA SNEAKERS

UNE DÉCENNIE DE DESIGN DE QUALITÉ

En 2010, la marque japonaise realmadHECTIC célébra son 10e anniversaire avec une série de baskets New Balance produite en collaboration avec leur concitoyen de Tokyo, Mita Sneakers.

Les MT580 BKX se distinguaient par une tige noire en cuir matelassé surmontant une semelle intermédiaire imitation bois avec une finition blanche standard et un embout intéressant à l'avant.

Tout comme les précédents modèles de la série 10e anniversaire, la semelle intérieure se distinguait par un imprimé représentant tous les MT580 déjà commercialisés.

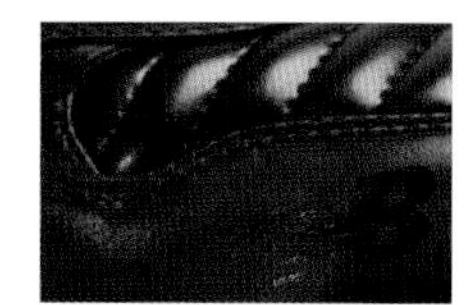

NEW BALANCE M1500 x LA MJC x COLETTE

VIVRE SANS TEMPS MORT

Depuis ses débuts en 2001, l'agence de communication française La MJC est devenue un nom bien connu de la culture de rue et des amateurs de baskets. Elle a travaillé sur de nombreuses collaborations avec des marques, dont New Balance, Nike, ASICS, Sebago, Lacoste et Supra, sans parler de sa série de livres All Gone.

Cette collaboration avec le magasin Colette de Paris arborait le slogan « Vivre sans temps mort », imprimé sur les semelles intérieures des baskets.

L'utilisation de daim peau de porc et de cuir premium pour la tige fit de ces baskets un article de luxe, tandis que leurs couleurs rouge / blanc / gris et la touche subtile de 3M complétaient parfaitement l'ensemble. Les chaussures étaient également accompagnées de trois paires de lacets : blancs, gris et rouges, assortis aux couleurs de la tige.

INFORMATIONS

ÉDITION
La MJC x Colette
ANNÉE DE SORTIE
2010
UTILISATION PREMIÈRE
Course
TECHNOLOGIE
ENCAP
PLUS
3 jeux de lacets

NEW BALANCE MT580 x REALMADHECTIC

UN HUITIÈME SUCCÈS

New Balance et realmadHECTIC entretiennent des relations depuis longtemps, à l'origine de nombreuses collaborations réussies qui ont repoussé les limites en matière de couleurs et de matériaux.

Le MT580 est un modèle favori d'HECTIC. Il s'agit de la version course nature de la New Balance 580, qui se distinguait par un système Rollbar surdimensionné dans la semelle afin d'éviter que le pied se retrouve en pronation.

Cette version fut connue sous le nom de « Eighth Bullet » (huitième balle), car il s'agissait du huitième modèle de baskets issu de ce partenariat. Deux modèles différents furent en fait commercialisés, se distinguant par un intéressant mélange de Nylon et nubuck – la version illustrée ici a une base de couleur bleu marine, rehaussée d'accents de couleur.

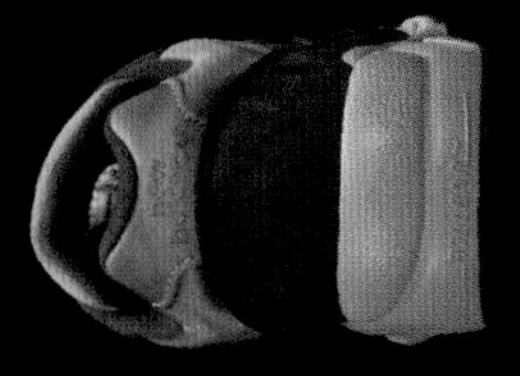

INFORMATIONS

ÉDITION
realmadHECTIC
ANNÉE DE SORTIE
2005
UTILISATION PREMIÈRE
Course nature
TECHNOLOGIE
Rollbar

NEW BALANCE CM1700
x WHIZ LIMITED
x MITA SNEAKERS

INFORMATIONS

ÉDITION
WHIZ LIMITED
x Mita Sneakers
ANNÉE DE SORTIE
2012
UTILISATION PREMIÈRE
Course
TECHNOLOGIE
ABZORB; ENCAP;
C-Cap; laser

DES ÉTOILES PLEIN LES YEUX

En 2012, New Balance, en collaboration avec la grande marque japonaise WHIZ LIMITED et la célèbre boutique Mita Sneakers, revisita avec succès la New Balance CM1700.

Les trous de ventilation furent modernisés et découpés en forme d'étoile au laser, une sous-couche luminescente ayant été ajoutée pour les faire briller. La tige arborait deux couleurs – rouge sur la partie médiane et bleu marine sur la partie latérale –, des touches d'argent et de blanc cassé contrastant avec l'impression tricolore. Les trois marques figuraient également sur la semelle intérieure.

INFORMATIONS

ÉDITION
Paris Saint-Germain
SÉRIE
La MJC x Colette x Undefeated
ANNÉE DE SORTIE
2012
UTILISATION PREMIÈRE
Course
TECHNOLOGIE
Rollbar

INFORMATIONS

ÉDITION
UCLA Bruins
SÉRIE
La MJC x Colette x Undefeated
ANNÉE DE SORTIE
2012
UTILISATION PREMIÈRE
Course
TECHNOLOGIE
ENCAP

NEW BALANCE CM1500 & MT580 x LA MJC x COLETTE x UNDEFEATED

LES BASKETTEURS LOCAUX MIS À L'HONNEUR

En 2012, New Balance s'associa avec des partenaires de longue date, La MJC, le magasin parisien Colette et le géant californien du streetwear, Undefeated, pour créer les modèles CM1500 et MT580.

Chacun d'eux s'inspirait des villes natales des marques. Les CM1500 étaient ainsi influencées par l'héritage californien d'Undefeated, arborant les couleurs jaune et bleu des Bruins d'UCLA, tandis que les MT580 évoquaient les couleurs de la tenue de football du Paris Saint-Germain. Les deux versions se distinguaient par des détails et des matériaux complexes jusqu'à la semelle intérieure. La doublure des CM1500 trouvait son inspiration dans le royaume animal, avec un motif léopard sur la semelle intérieure, affichant également le nom des marques. Les MT580 étaient plus subtiles, avec un tissu-éponge français couvrant la marque New Balance sur les côtés et les bandes tricolores du Paris Saint-Germain sur la semelle intérieure.

NEW BALANCE M1500 'TOOTHPASTE' x SOLEBOX

INFORMATIONS

ÉDITION
Solebox
SÉRIE
Toothpaste
ANNÉE DE SORTIE
2007
UTILISATION PREMIÈRE
Course
TECHNOLOGIE
ENCAP
PLUS
Brosse à dents ; sac

" SO FRESH, SO CLEAN "

La série Toothpaste du magasin Solebox de Berlin se distinguait par des accents de daim couleur menthe et orange sur un cuir blanc et une semelle en gomme. Une brosse à dents de couleur assortie au modèle était offerte, ainsi qu'un sac sur mesure pour y ranger les baskets.

Parmi les détails de ces M1500, on remarquait le mélange de cuir verni et de mesh pour la tige, la célèbre marque Made in England inscrite sur la languette, la semelle intérieure en cuir marquée « Selected EDITION » et deux jolis boutons en métal en haut des œillets, le premier avec « Solebox » gravé à l'intérieur et le deuxième avec le numéro de la paire, de 1 à 216 (nombre total de paires produites).

Quelques paires réalisées pour la famille et les amis possédaient également le logo Solebox imprimé sur le côté.

NEW BALANCE M577 x SNS x MILKCRATE

DE STOCKHOLM À BALTIMORE

Pour leur cinquième collaboration avec New Balance, les passionnés de baskets de Stockholm et grands experts de la vente chez Sneakersnstuff (SNS) firent appel à Aaron LaCrate, DJ, producteur, créateur de vêtements et big boss de Milkcrate Athletics, né à Baltimore, pour créer l'un des deux modèles de M577 de cette série.

SNS opta pour la subtilité avec un daim gris uni et un cuir blanc perforé, tandis qu'Aaron LaCrate s'inspira des couleurs vives utilisées dans sa ligne de vêtements Milkcrate Athletics, avec un mélange de daim rose, jaune, vert et violet pour la tige, des détails en 3M sur la languette et le même cuir blanc perforé sur l'empeigne et le panneau supérieur de la chaussure. Ce modèle se distinguait également par une étiquette volante avec les noms des deux marques.

Ces chaussures furent uniquement proposées chez des revendeurs New Balance haut de gamme dans le monde entier.

INFORMATIONS

ÉDITION
SNS x Milkcrate
ANNÉE DE SORTIE
2012
UTILISATION PREMIÈRE
Course
TECHNOLOGIE
ENCAP
PLUS
Autocollants

ENCAP
ENCAP
Milkcrate Athletics
NYC/SURFACE
DIVISION

NIKE

De ses origines en 1964, sous le nom de Blue Ribbon Sports, testant de nouvelles idées en matière de chaussures de sport via l'équipe de l'université d'Oregon, à son statut moderne en tant que l'une des marques les plus connues du monde, l'importance de Nike sur la culture et le commerce des chaussures de sport est inestimable. La marque a depuis longtemps surpassé son objectif d'origine en tant que producteur de chaussures de sport pour devenir une institution globale à l'influence considérable dans les domaines de la mode, de la musique, du sport et de la culture populaire.

Les noms de créateurs emblématiques, tels que Bill Bowerman, Phil Knight et Tinker Hatfield, sont entrés dans les esprits des passionnés de baskets du monde entier. Nike fut également l'un des premiers à reconnaître l'importance de limiter la distribution de certains modèles conformément aux principes de la loi de l'offre et de la demande, ce qui développa la culture des sorties en édition limitée qui fait aujourd'hui parler d'elle dans le monde des baskets.

Nike fut par ailleurs l'un des premiers à introduire l'idée de coloris en édition limitée ; des modèles de chaussures de basket-ball d'une couleur spécifique furent, par exemple, proposés en exclusivité aux joueurs de l'équipe universitaire avant de devenir plus tard très recherchés par les collectionneurs.

D'un point de vue conception, Nike a produit de nombreuses baskets de référence dans le monde entier. Les premiers modèles phares du basket-ball, tels que les Air Force 1 et les Dunk, ont enflammé les terrains de basket et les rues. L'Air Max 1 redéfinit la chaussure de course en 1987 et continua en 1990 et 1995, avec d'autres modèles changeant les règles du jeu en matière de conception de chaussures.

Nike a toujours eu une longueur d'avance quant à la conceptualisation et à la production de chaussures innovantes et suscitant l'intérêt. Aucune autre marque ne s'est autant intéressée aux éditions limitées et n'a fait autant d'efforts pour développer les collaborations. Au sein du haut de gamme de Nike, Hyperstrike, les éditions sont généralement limitées à cinquante exemplaires et exclusivement distribuées dans le cercle des amis et de la famille. Le compte Tier Zero, sensiblement moins exclusif, fut le premier à limiter la distribution physique d'un produit à des vendeurs choisis. Juste en dessous, Quickstrike édite des modèles en plus grand nombre, distribués dans des magasins plus haut de gamme accessibles au grand public. Certaines éditions Quickstrike et Hyperstrike sont devenues de véritables références dans l'histoire de la chaussure de sport.

Cet intérêt pour l'innovation *via* des collaborations a donné sa pleine mesure dans le collectif de HTM, issu d'une collaboration de longue date entre Hiroshi Fujiwara, grand chef de Fragment Design, Tinker Hatfield, créateur phare chez Nike, et Mark Parker, PDG de Nike. HTM a proposé un nombre incroyable de modèles de chaussures au cours des dernières années, dont la collection Flyknit (pages 152-153), l'une des références de l'année 2012 en matière de baskets. Nike continue aujourd'hui à innover dans la conception de chaussures en appliquant de nouvelles technologies et en combinant d'anciens modèles d'archive pour créer de nouveaux hybrides.

Les collaborateurs tiers ont toujours voulu travailler avec le monstre Beaverton – quelques-uns des plus grands moments de l'histoire récente de Nike sont le résultat de partenariats créatifs, de l'Air Max 1 revisitée par Patta (pages 116-117), au modèle de l'imprésario du hip-hop, Kanye West, pour sa silhouette très particulière, l'Air Yeezy (page 154). Nike n'a pas peur de prendre des risques quant aux chaussures en édition limitée et à la culture qui les entoure.

NIKE CORTEZ PREMIUM x MARK SMITH & TOM LUEDECKE

NOUVELLE TECHNOLOGIE POUR GRAVER DES MOTIFS

Dans le monde des baskets, le laser est généralement utilisé pour découper des motifs avec précision mais, en 2003, le créateur Mark Smith, de l'Innovation Kitchen de Nike, introduisit une nouvelle technique laser aujourd'hui encore employée.

Smith et son collègue Tom Luedecke, créateur chez Nike, produisirent chacun une Premium Cortez inspirée d'œuvres celtes et tribales, utilisant un laser pour graver des motifs dans la tige.

Cette innovation donnait sa pleine mesure sur une grande surface de toile, ce qui incita Mark à créer une tige d'une seule pièce pour la Cortez, réduisant les panneaux et le poids global de la basket.

INFORMATIONS

ÉDITION
Mark Smith & Tom Luedecke
SÉRIE
2003 Laser Project
ANNÉE DE SORTIE
2003
UTILISATION PREMIÈRE
Course
TECHNOLOGIE
Tige d'une seule pièce ; semelle à chevrons ; laser
PLUS
Boîte coulissante ; emballage tissu ; étiquette volante en cuir numérotée

INFORMATIONS

ÉDITION
Halle Berry
SÉRIE
Artist Series
ANNÉE DE SORTIE
2004
UTILISATION PREMIÈRE
Course
TECHNOLOGIE
Air
PLUS
Boîte coulissante ; chaussettes Rift ; étiquette volante Artist Series

NIKE AIR RIFT x HALLE BERRY

ALLÉLUIA

Pour son Artist Series, Nike combina l'influence et les talents de grandes célébrités afin de venir en aide à ceux qui sont dans le besoin. Le troisième modèle de la série fut une Air Rift dédiée à l'actrice Halle Berry. Un intéressant mélange de gris, tirant sur le bleu, et d'orange était appliqué sur du daim et du synthétique. Seules mille cinquante paires furent fabriquées, toutes numérotées.

Les Rift étaient vendues avec des chaussettes assorties avec le gros orteil séparé et dans une boîte spéciale. Tous les bénéfices furent reversés à l'association caritative choisie par Halle Berry, la fondation Make-A-Wish qui exauce les vœux d'enfants gravement malades.

NIKE AIR HUARACHE
'ACG MOWABB PACK'

TOUT EST DANS LES GÈNES : UNE AFFAIRE DE FAMILLE

La Nike Air Huarache et la Nike Air Mowabb sont étroitement liées, non seulement par leur année de naissance (1991), mais également par leur ADN. Toutes deux se distinguent, en effet, par le chausson intérieur révolutionnaire Huarache, imaginé par le grand créateur de Nike, Tinker Hatfield.

L'Air Mowabb s'est inspiré de l'Air Huarache pour son chausson Néoprène, il semblait donc naturel que l'Air Huarache reprenne la caractéristique la plus réputée de l'Air Mowabb : ses couleurs ACG (All Conditions Gear).

Trois combinaisons de couleurs inspirées de la Mowabb d'origine furent appliquées sur un cuir premium. Ces chaussures furent exclusivement vendues en Europe dans des magasins détenant des comptes Nike Quickstrike.

INFORMATIONS

ÉDITION
Quickstrike – Europe only
SÉRIE
ACG Mowabb Pack
ANNÉE DE SORTIE
2007
UTILISATION PREMIÈRE
Course
TECHNOLOGIE
Air; Huarache
PLUS
Lacets supplémentaires

NIKE AIR HUARACHE LIGHT x STÜSSY

LA PREMIÈRE DOUBLE MARQUE POUR NIKE

L'Air Huarache Light fut rééditée pour la première fois en 2002 ; un an plus tard, Nike continuait en proposant une version très populaire de la chaussure de course classique en collaboration avec Stüssy.

Disponible en deux versions – vert acide / noir et orange / gris –, cette édition fut un grand succès.

Outre ses couleurs avant-gardistes, elle se différenciait des précédents modèles par des garde-boue en cuir. Une version réservée aux amis et à la famille fut également produite en un nombre très limité, avec un logo Stüssy brodé sur le panneau extérieur ; c'était la première fois que Nike inscrivait un autre nom de marque sur une de ses chaussures.

INFORMATIONS

ÉDITION
Stüssy
ANNÉE DE SORTIE
2003
UTILISATION PREMIÈRE
Course
TECHNOLOGIE
Air ; Huarache ; laçage ghillie

NIKE FREE 5.0 PREMIUM & FREE 5.0 TRAIL x ATMOS

INFORMATIONS

ÉDITION
Atmos
ANNÉE DE SORTIE
2006
UTILISATION PREMIÈRE
Course
TECHNOLOGIE
Free ; laçage ghillie

L'APPEL DES REPTILES

Il faut attendre 2006 pour que la technologie Free de Nike déploie véritablement tous ses atouts. Atmos, de Tokyo, partenaire de longue date de Nike, fut l'un des premiers à s'unir à la marque sur la Free 5.0.

Atmos revisita la Nike Free 5.0 Trail d'une manière déconseillée aux âmes sensibles, et lui appliqua un traitement supérieur, optant pour une tige en 3M réfléchissant et un effet peau de serpent au-dessus de la semelle de course Free ultralégère.

Pour le modèle Premium, un double effet peau de serpent fut appliqué sur une tige noire rehaussé de détails argent. Les touches de rose et les accents de 3M firent le succès de cette chaussure qui suscita beaucoup d'intérêt.

NIKE AIR FLOW x SELFRIDGES

LE RETOUR MITIGÉ DE SELFRIDGES

La réédition très attendue de l'Air Flow en 2011 passionna de nombreux fans du modèle, surtout lorsque des photos des nouvelles éditions proposées en deux coloris originaux furent publiées en ligne.

À peu près au même moment, Selfridges obtint le droit de vendre deux coloris de sa propre Air Flow Tier Zero exclusivement à l'intérieur de son magasin d'Oxford Street, à Londres.

L'Air Flow de Selfridges se distinguait par le même tissu que la version précédente mais arborait un coloris différent du remarquable néon d'origine et uni, noir ou olive.

Avec vingt-quatre paires seulement disponibles dans chaque couleur, les chaussures se vendirent immédiatement dès le jour de leur sortie.

INFORMATIONS

ÉDITION
Tier Zero

SÉRIE
Selfridges Tonal

ANNÉE DE SORTIE
2011

UTILISATION PREMIÈRE
Course

TECHNOLOGIE
Air; Phylon

NIKE AIR PRESTO PROMO PACK 'EARTH, AIR, FIRE, WATER'

LES ÉLÉMENTS FONDAMENTAUX

L'Air Presto arriva en 2000 et obtint un large succès, le nouveau modèle étant rapidement proposé dans de nombreuses couleurs et versions.

Ce pack promotionnel jamais sorti, composé de quatre modèles de Presto de 2001/2002, faisait référence aux quatre éléments fondamentaux – la terre, l'air, le feu et l'eau – et se distinguait par une tige en velours rembourrée jamais vue auparavant. Le pack incluait également des livres reliés et des sacs en velours.

Chaque paire était individuellement numérotée, de 1 à 328, avec le nom de son élément écrit en travers du renfort de talon à la place de « Air », sous le *Swoosh*.

INFORMATIONS

ÉDITION
Earth, Air, Fire, Water
SÉRIE
Promo pack
ANNÉE DE SORTIE
2001/2002
UTILISATION PREMIÈRE
Course
TECHNOLOGIE
Air ; BRS 1000 ; Duralon ; Presto cage ; laçage ghillie
PLUS
Sac en velours ; livre

NIKE AIR PRESTO x HELLO KITTY

KAWAII KITTY POUR LES FEMMES

L'Air Presto connut son heure de gloire au moment de sa sortie au tournant du millénaire. Largement louée en tant que « tee-shirt pour vos pieds », elle fut proposée dans un grand nombre de couleurs qui la rendirent difficile à ignorer.

Lorsque Hello Kitty célébra son 30e anniversaire en 2004, quelques grandes marques furent invitées à profiter de l'événement.

Nike y vit une occasion parfaite pour associer les adorables chatons à l'Air Presto femme. De nombreuses têtes de chaton décorèrent ainsi l'ensemble de la tige et une version rose et blanc fut également créée, représentant différentes versions d'Hello Kitty. Aucune de ces versions ne fut proposée au public ; seules cent paires de chaque modèle furent produites et exclusivement vendues à des amis et à de la famille.

INFORMATIONS

ÉDITION
Hello Kitty
SÉRIE
30th Anniversary
ANNÉE DE SORTIE
2004
UTILISATION PREMIÈRE
Course
TECHNOLOGIE
Air ; BRS 1000 ; Duralon ; Presto cage ; laçage ghillie

INFORMATIONS

ÉDITION
Sole Collector (Honolulu NikeTown exclusive)
ANNÉE DE SORTIE
2005
UTILISATION PREMIÈRE
Course
TECHNOLOGIE
Air ; BRS 1000 ; Duralon ; Presto cage ; laçage ghillie

NIKE AIR PRESTO 'HAWAII EDITION' x SOLE COLLECTOR

SOLE COLLECTOR REND UN HOMMAGE MÉRITÉ AU 50E ÉTAT

Lorsque le magazine *Sole Collector* assembla sa première série de modèles issus de collaboration pour le magasin NikeTown, il s'assura de ne pas avoir oublié « La Grande Île ».

Seules quanrante-huit paires de cette édition Hawaii Hyperstrike de l'Air Presto furent éditées, exclusivement vendues dans le magasin NikeTown d'Honolulu.

NIKE AIR PRESTO ROAM x HTM

POUR VAGABONDER LIBREMENT

La Presto a été revisitée de nombreuses fois depuis sa première sortie en 2000, des Clips aux Zips et des Cages aux Roams.

L'Air Presto Roam se voulait à l'origine un modèle plus solide et résistant. Elle fut ensuite améliorée pour devenir une chaussure mi-montante, tout en gardant la coupe type chaussette extensible avec une tige en daim rembourrée, pour une version offrant plus de confort, de protection et de chaleur que le précédent modèle. Le maintien fut conservé grâce à la cage habituelle des Presto, tandis que la semelle robuste était en Duralon et la semelle extérieure en caoutchouc soufflé de Nike, faisant l'effet d'un tapis de mousse et donnant l'une des chaussures les plus confortables de la marque. Pour compenser le manque de robustesse du Duralon, il fut associé à du BRS 1000, un caoutchouc carbone extrêmement résistant.

Le collectif de HTM fit des merveilles sur ces modèles de Presto, produisant une version automne / hiver, marquée du logo HTM, avec un numéro pour chaque paire.

L'Air Presto Roam ne fut jamais reproduite après 2002 et demeure très prisée par les passionnés de baskets du monde entier.

INFORMATIONS

ÉDITION
HTM
ANNÉE DE SORTIE
2002
UTILISATION PREMIÈRE
Course
TECHNOLOGIE
Air ; BRS 1000 ; Duralon ; Presto cage ; laçage ghillie
PLUS
Boîte spéciale HTM

NIKE AIR FOOTSCAPE WOVEN CHUKKA x BODEGA

INFORMATIONS

ÉDITION
Bodega in-store exclusive

SÉRIE
Night Cats

ANNÉE DE SORTIE
2011

UTILISATION PREMIÈRE
Course

TECHNOLOGIE
Air; Woven; Footscape

LE GRAND NOM DE BOSTON PROPOSE UN MODÈLE EXCLUSIF EN MAGASIN

Le modèle Footscape a toujours suscité l'intérêt et le débat. Le système de laçage innovant et la partie avant étonnamment large du modèle d'origine n'attirèrent pas grand monde lors de sa sortie en 1995, mais au fil des ans il s'est forgé une solide réputation.

La Footscape Woven peaufina la forme du modèle d'origine en repoussant les limites en matière de fabrication et d'utilisation des matériaux.

Lorsque le grand magasin de Boston Bodega revisita le modèle en vue d'une collaboration en 2011, il en résulta une version basse dans de magnifiques tons de gris et de noisette, incluse à la collection Night Cats.

Bodega présenta également à ses clients cette magnifique version montante produite en édition très limitée, ce qui ajouta un élément haut de gamme à l'ensemble.

NIKE AIR FOOTSCAPE WOVEN x THE HIDEOUT

LES HAMSTERS INTÉRESSENT LES COLLECTIONNEURS

En 2006, la technologie Nike Woven fut appliquée au modèle Footscape de 1995 qui fit tourner les têtes. Plusieurs versions virent le jour, la plus remarquable étant le modèle avant-gardiste de The Hideout, boutique de streetwear londonienne.

Surnommées « les hamsters » par les utilisateurs des forums en raison de leur extérieur poilu, ces chaussures devinrent immédiatement un classique culte et sont aujourd'hui encore très recherchées par les collectionneurs.

Les créateurs de The Hideout qui travaillaient sur le modèle souhaitaient incarner l'image de marque du magasin inspiré par l'Ouest Sauvage et y réussirent grâce à une tige en cuir de vache et poils de poney de qualité véritablement supérieure.

La version The Hideout fut proposée en deux couleurs, gris et marron, et se vendit immédiatement le jour de sa sortie en septembre.

INFORMATIONS

ÉDITION
Tier Zero
SÉRIE
The Hideout
ANNÉE DE SORTIE
2006
UTILISATION PREMIÈRE
Course
TECHNOLOGIE
Air; Woven; Footscape

NIKE AIR WOVEN 'RAINBOW' x HTM

DES MODÈLES UNIQUES HAUTS EN COULEURS

La gamme Woven de Nike suscita l'intérêt de trois des plus grands noms mondiaux dans le domaine des baskets : le créateur de streetwear Hiroshi Fujiwara ; Tinker Hatfield, l'un des principaux créateurs de Nike ; et le PDG de Nike, Mark Parker, qui s'associèrent pour former le collectif de HTM.

En 2002, deux ans après la sortie du modèle Woven d'origine, HTM choisit soigneusement des couleurs pour produire une sélection unique de Woven Rainbow (arc-en-ciel), chaque paire arborant un ensemble de couleurs différentes sur du Nylon extensible plongé dans la teinture. Il n'y eut pas deux paires identiques.

Comme indiqué sur l'étiquette intérieure, chaque modèle fut limité à mille cinq cents paires.

INFORMATIONS

ÉDITION
Tier Zero
SÉRIE
HTM
ANNÉE DE SORTIE
2002
UTILISATION PREMIÈRE
Loisirs
TECHNOLOGIE
Woven ; Air ; semelle intermédiaire en Phylon

NIKE LUNAR CHUKKA WOVEN **TIER ZERO**

ÉDITION
Tier Zero
ANNÉE DE SORTIE
2010
UTILISATION PREMIÈRE
Loisirs
TECHNOLOGIE
Woven ; Lunarlon ; Nike+

NIKE TIENT LE RYTHME

En 2002, HTM introduisit la chaussure montante Air Woven Chukka Boot. Cette forme populaire fut plus tard modernisée avec une semelle Footscape et, en 2010, l'ajout de la nouvelle technologie de Nike, Lunarlon.

Cette fusion intéressante entre la semelle Lunarlon et la technologie Nike+ en fit une chaussure de loisir capable de se synchroniser avec votre iPod et d'enregistrer votre allure quotidienne.

Avec sa tige multicolore aux couleurs de l'arc-en-ciel faisant écho au modèle Woven d'origine de HTM (ci-contre), ce modèle fut édité en un nombre limité et uniquement vendu dans les magasins Tier Zero.

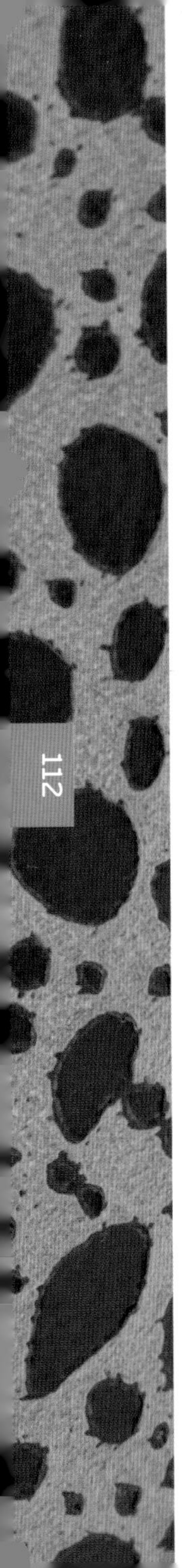

NIKE AIR MAX 1
x ATMOS

LES MEILLEURES DES ATMOS AM1

Le grand nombre d'Air Max 1 sorties au fil des ans a rendu ce modèle de Nike propice aux collaborations ; ces versions proposées par la marque japonaise Atmos constituent de parfaits exemples de collaborations réussies.

INFORMATIONS

ÉDITION
Viotech Air Max 1
SÉRIE
Atmos
ANNÉE DE SORTIE
2003
UTILISATION PREMIÈRE
Course
TECHNOLOGIE
Max Air

SAFARI

La première Air Max 1 imaginée par Atmos se distingue par les imprimés caractéristiques de l'Air Safari. Cette basket extrêmement bien conçue associe une toile résistante en sergé pour l'empeigne, des œillets en daim supérieur et un renfort de talon motif safari, pour un confort exceptionnel.

INFORMATIONS

ÉDITION
Safari Air Max 1
SÉRIE
Atmos
ANNÉE DE SORTIE
2002
UTILISATION PREMIÈRE
Course
TECHNOLOGIE
Max Air

VIOTECH

Le deuxième modèle Air Max 1 issu d'une collaboration entre Nike et Atmos trouva grâce auprès des amateurs avec ses tons terre et son mélange de cuir et de daim, ainsi que le *Swoosh* en couleur Viotech, qui rappelait les classiques ACG du début des années 1990. La semelle en gomme et de subtiles touches brodées de fil doré rehaussaient encore ce modèle.

INFORMATIONS

ÉDITION
Jade Air Max 1
SÉRIE
Atmos Quickstrike
ANNÉE DE SORTIE
2007
UTILISATION PREMIÈRE
Course
TECHNOLOGIE
Max Air

JADE

Pour cette édition Quickstrike 2007, Atmos reprit un autre imprimé emblématique Nike, le ciment, et l'appliqua sur le garde-boue et le collet du talon de l'Air Max 1. Le noir et le blanc recouvraient l'ensemble du modèle, rehaussés de Jade, très similaire au coloris extrêmement populaire, Tiffany Diamond, utilisé pour les accents de la Dunk Low Pro SB.

NIKE AIR MAX 1 x KIDROBOT x BARNEYS

INFORMATIONS

ÉDITION
Kidrobot
ANNÉE DE SORTIE
2005
UTILISATION PREMIÈRE
Course
TECHNOLOGIE
Max Air
PLUS
Semelles intérieures de rechange ; porte-clés Kidrobot

BARNEYS FAIT LE ROBOT

Kidrobot, pionnier de l'art, des jouets, des vêtements et des accessoires en édition limitée, fut le génie créatif derrière cette version.

Dans un style véritablement Kidrobot, la chaussure symbolisait des influences pop art et culture de masse. Elle fut exclusivement vendue dans la chaîne de grands magasins américains Barneys.

Paul Budnitz et Chad Phillips de Kidrobot imaginèrent une combinaison de couleurs noir / or / rose pour cette édition limitée et chaque paire fut emballée dans une boîte spéciale or et rose contenant également un porte-clés Kidrobot.

Les artistes Gary Baseman, Dalek, David Horvath, Huck Gee et Frank Kozik sont à l'origine des motifs des semelles intérieures personnalisées. Seules deux cents paires ayant été fabriquées, ces chaussures demeurent très recherchées par les collectionneurs.

NIKE AIR MAX 1 NL PREMIUM
'KISS OF DEATH' x CLOT

INFORMATIONS
ÉDITION
Tier Zero
SÉRIE
Kiss of Death
ANNÉE DE SORTIE
2006
UTILISATION PREMIÈRE
Course
TECHNOLOGIE
Max Air ; no liner
PLUS
Boîte de médecine chinoise ; brochure

CANALISER LE CHI

CLOT, basé à Hong Kong, recourut aux talents de l'artiste MC Yan pour l'aider à réaliser ces baskets aux multiples détails qui expriment l'influence du pied sur le corps humain.

D'après la médecine chinoise, le *Yongquan* est notre principal point de pression car il transfère l'énergie « chi » entre la terre et le corps. Sur cette chaussure, la localisation du Yongquan était révélée sur un diagramme visible à travers la semelle extérieure transparente. Une carte méridienne du membre inférieur dessinée sur du papier à calligraphie chinois était aussi reproduite sur la semelle intérieure de l'Air Max 1.

La tige mettait en évidence l'importance du pied *via* une empeigne transparente, une première pour une Air Max 1. L'utilisation de couleurs vives, comme l'orange et le rouge, associées à des détails en peau de serpent et en autruche donnaient à la chaussure une énergie dynamique.

Ce modèle fut proposé dans une boîte pliante, similaire à celles qui contenaient traditionnellement les textes médicaux chinois. Un sceau sur la boîte représentait l'autorité, le texte en style graffiti signifiant « Hong Kong ».

NIKE AIR MAX x PATTA

LES ROIS DE LA COLLABORATION NE MANQUENT PAS D'AIR

Patta, pionnier de la culture de rue, a collaboré de nombreuses fois avec Nike, et tout a commencé par une Air Max 1 qui représentait le site du magasin d'Amsterdam. L'illustrateur hollandais Patta mettait en évidence son logo « Amsterdam is King » sur l'Air Max 1 AMS avec une combinaison de couleurs unique, bordeaux / rose / bleu, inspiré par le quartier chaud de la ville (au centre sur l'illustration).

Le modèle suivant fut l'Air Max 90, dont la sortie coïncida avec le lancement de l'album de compilation *Homegrown* du magazine en ligne de hip-hop hollandais *State Magazine*. Les illustrations de l'album furent reproduites sur les Air Max 90 sous la forme d'un motif de feuilles (en bas à gauche).

Le 5e anniversaire de Patta correspondit au lancement d'une autre succession d'Air Max 1 ; les deux premiers modèles rendaient hommage aux couleurs d'origine de l'Air Max 1 (blanc / violet et blanc / vert, en haut au centre et à droite de l'illustration), tandis que les deux suivants arboraient des tons plus foncés de noir et bleu foncé rehaussés d'accents verts et rouges (au centre à droite). Les quatre modèles utilisaient différents matériaux résistants mais étaient liés par des semelles intérieures assorties représentant des œuvres basées sur la pièce de cinq florins néerlandaise et arboraient tous le mini-*Swoosh*. Les cinquièmes Air Max 1 (au centre à gauche) virent le retour de Patta en tant que co-collaborateur : la couleur cerise fut uniformément appliquée sur une tige en tissu-éponge chenille, daim et mesh, avec des couleurs plus vives pour la semelle extérieure, la semelle intérieure et la signature sur la languette.

INFORMATIONS

ÉDITION
Patta
ANNÉE DE SORTIE
2005–2010
UTILISATION PREMIÈRE
Course
TECHNOLOGIE
Max Air
PLUS
Lacets de rechange

NIKE AIR MAX 90 'TONGUE N' CHEEK' x DIZZEE RASCAL x BEN DRURY

L'AIR MAX EN PLEINE CRISE DE FOLIE

Ce modèle exclusif londonien fut imaginé par deux forces créatives et collaborateurs occasionnels britanniques : le rappeur Dizzee Rascal et le grand graphiste britannique Ben Drury.

Ils imaginèrent à deux cette paire d'Air Max 90 pour coïncider avec la sortie de l'album *Tongue N' Cheek* de Dizzee, les illustrations de Drury figurant à la fois sur la couverture de l'album et la basket.

La chaussure se distinguait par une languette brodée, une mouche, logo du label Dirtee Stank Recordings, sur la semelle et la silhouette de Rascal brodée sur une pièce du talon en 3M.

Elle se composait d'une subtile association de blanc crayeux, cuir premium et daim premium, rehaussés d'accents de couleurs reflétant les œuvres de l'album.

INFORMATIONS

ÉDITION
Tongue N' Cheek
ANNÉE DE SORTIE
2009
UTILISATION PREMIÈRE
Course
TECHNOLOGIE
Max Air

NIKE AIR MAX 90 x KAWS

XX POUR TOUJOURS

En 2008, l'artiste KAWS, basé à New York, s'associa avec Nike pour déposer sa marque XX sur l'Air Max 90.

KAWS se distingue avant tout par sa simplicité ; en gardant la toile propre et blanche, il choisit d'accentuer la caractéristique unique de cette basket : ses textures.

Des panneaux latéraux en cuir et des empiècements en lin étaient associés à un bout en mesh unique extensible dans tous les sens, tandis que des touches de vert soulignaient les XX de KAWS au point de croix autour de l'empeigne, de la languette, des lacets et de la semelle extérieure.

Cette collaboration entre KAWS et Nike incluait également une Air Max 90 Current noire rehaussée d'accents de vert. Ce mélange de couleurs rappelait les Air Force 1 de KAWS, lancées plus tôt dans l'année pour le projet 1 World de Nike.

Seules deux cents paires furent commercialisées.

INFORMATIONS

ÉDITION
KAWS
ANNÉE DE SORTIE
2008
UTILISATION PREMIÈRE
Course
TECHNOLOGIE
Max Air

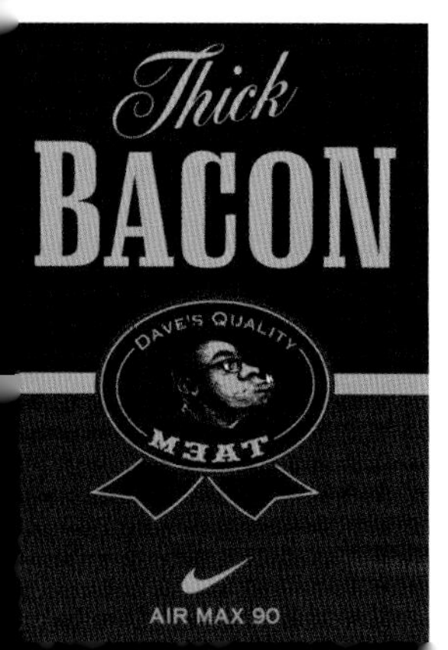

NIKE AIR MAX 90 x DQM 'BACONS'

LE PRÉCURSEUR DES ÉDITIONS HYPERSTRIKE PREMIUM

Lorsque les magasin et marque DQM (Dave's Quality Meat) virent le jour à New York en 2003, ceux qui s'y connaissaient un peu virent tout de suite qu'il s'agissait d'une bonne chose. Avec une expérience dans les domaines du skateboard, du vélo, des graffitis, de la musique, de l'art et de bien d'autres éléments de la culture de rue, les fondateurs disposaient des connaissances et de l'esprit créatif nécessaires pour produire quelques-unes des meilleures baskets issues de collaborations.

La Nike Air Max 90, l'une des chaussures les plus aimées de tous les temps, fut un point de départ idéal pour que DQM laisse libre cours à sa créativité. Fidèle au thème de la boucherie du magasin, DQM choisit des couleurs inspirées de la viande, produisant ainsi une chaussure véritablement unique, considérée par beaucoup comme la meilleure combinaison de couleurs jamais choisie pour l'Air Max.

L'édition Quickstrike standard est difficile à trouver aujourd'hui mais l'édition Hyperstrike est illustrée ici, produite en quatre-vingts paires seulement. Elle se distinguait par une étiquette spéciale sur la languette, une tige en cuir « brûlé » et un os imprimé sur la semelle intérieure.

Un tee-shirt et une boîte à chaussures spéciale faisaient également partie de l'édition réservée aux amis et à la famille.

INFORMATIONS

ÉDITION
Hyperstrike
SÉRIE
Dave's Quality Meat
ANNÉE DE SORTIE
2004
UTILISATION PREMIÈRE
Course
TECHNOLOGIE
Max Air
PLUS
Tee-shirt; lacets de rechange

NIKE AIR MAX 90 CURRENT HUARACHE x DQM

LE RETOUR DU BACON

Cette offre Nike Quickstrike, proposée en collaboration avec Dave's Quality Meat, reprenait les couleurs de l'une des plus populaires Air Max 90 et revisitait le thème de la viande qui se cachait derrière La Mecque des baskets de New York.

En combinant des éléments issus de ses trois chaussures de course les plus réussies d'un point de vue technologique – l'Air Max 90, l'Air Huarache et l'Air Current –, Nike créa un modèle hybride qui s'avéra meilleur encore.

Il se distinguait par la fameuse couleur inspirée de celle du bacon, une isolation Thinsulate et un timbre « Nike East » sur la languette.

INFORMATIONS

ÉDITION
Quickstrike
SÉRIE
Dave's Quality Meat
ANNÉE DE SORTIE
2009
UTILISATION PREMIÈRE
Course
TECHNOLOGIE
Air Max 90 Current; Huarache; Flywire; Thinsulate
PLUS
Lacets de rechange

NIKE AIR MAX 90 CURRENT MOIRE **QUICKSTRIKE**

UN MODÈLE AUX MULTIPLES TECHNOLOGIES

Pour son modèle Air Max 90 Current Moire, Nike associa des éléments de l'Air Zoom Moire, de l'Air Current et de l'Air Max 90.

Cette approche hybride reprit la meilleure technologie de confort de chaque modèle pour réaliser une chaussure particulièrement confortable.

La tige d'une seule pièce perforée, inspirée de l'Air Zoom Moire, permettait au pied de bouger naturellement tout en restant bien ventilé.

Des points de couture soulignaient les panneaux caractéristiques de l'Air Max 90. La semelle extérieure était constituée d'une demi-semelle Air Max pour amortir le talon et de la technologie de semelle Air Current qui permettait à l'avant du pied de se plier librement.

Les couleurs choisies rappelaient la toute première Air Zoom Moire Tier Zero, commercialisée en 2006, sans la semelle mouchetée.

INFORMATIONS

ÉDITION
Quickstrike
ANNÉE DE SORTIE
2008
UTILISATION PREMIÈRE
Course
TECHNOLOGIE
Air Max 90 Current; Moire

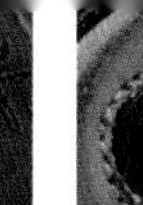  

INFORMATIONS

ÉDITION
Modèle non commercialisé
SÉRIE
Air You Breathe
ANNÉE DE SORTIE
2006
UTILISATION PREMIÈRE
Course
TECHNOLOGIE
Max Air

INFORMATIONS

ÉDITION
Silent Listener
ANNÉE DE SORTIE
2009
UTILISATION PREMIÈRE
Course
TECHNOLOGIE
Air Max 90 Current ;
Max Air

NIKE x BEN DRURY

DE MO' WAX À MO' MAX

Ayant lancé sa carrière en tant que directeur artistique de la grande maison de disques britannique Mo' Wax en 2006, Ben Drury avait déjà eu la chance de collaborer avec le légendaire artiste graffeur Futura 2000, connu sous le nom de Dunkle (voir page 147).

Pour célébrer le lancement de l'Air Max 360, Nike fit appel à trois graphistes bien établis afin de revisiter trois modèles Air classiques pour la série Air You Breathe. Parmi ces graphistes, Ben Drury fut choisi pour travailler sur l'Air Max 1. Inspiré par la scène des radios pirates à Londres, le modèle se distingue par l'inscription « Hold Tight » sur la languette en 3M, des signaux de transmission radio sur le talon et un pylône imprimé sur la semelle intérieure. (Pour en savoir plus sur la série Air You Breathe, référez-vous à la page 133.)

On raconte que le modèle Silent Listener de 2009 (en bas à gauche) aurait été commercialisé pour marquer le partenariat créatif de longue date entre Drury, Dizzee Rascal et Nike Sportswear, « joignant les points » entre les trois (l'Air Max 90 Dizzee Rascal est illustrée page 118). Fondée sur l'amour de Drury pour les balades dans Londres et la campagne autour de Dartmoor, la semelle Air Current flexible de la chaussure était recouverte d'une solide tige en Nylon balistique bleu. Drury appréciant le 3M « magique », il le choisit pour agrémenter les lacets rouges et bleus. Seules cent vingt-cinq paires furent produites dans le monde entier, la majorité du stock se trouvant dans le magasin Nike 1948 de Londres.

NIKE AIR MAX 95 'PROTOTYPE' x MITA SNEAKERS

NOIR ET NÉON

Mita Sneakers réalisa une simple variante de l'emblématique Air Max 95 néon, noircissant la doublure intérieure et la languette. Sur l'Air Max 95 originale, la marque figurait sur la semelle intérieure et Ueno – nom du quartier de Tokyo accueillant la boutique Mita – était brodé sur la doublure intérieure.

Le créateur de l'Air Max 95, Sergio Lozano, fut le premier à revisiter la combinaison de couleurs néon de ces baskets ; sur des photographies de son bureau qui figuraient dans une interview de Lozano en personne dans un magazine japonais (du nom de Boon), cette basket était présentée comme un échantillon prototype, placée à côté des croquis la représentant. Ce modèle ne fut pas commercialisé avant 2013, d'où son surnom de « prototype ».

INFORMATIONS

ÉDITION
Mita Sneakers
SÉRIE
Prototype
ANNÉE DE SORTIE
2013
UTILISATION PREMIÈRE
Course
TECHNOLOGIE
MMax Air ; laçage ghillie

NIKE AIR 'NEON PACK' x DAVE WHITE

ATTENTION PEINTURE FRAÎCHE

L'artiste britannique Dave White travailla avec Nike pour sortir la série Neon Pack en 2005. Cette dernière rendait hommage à l'Air Max 95 Neon d'origine en célébrant son 10e anniversaire.

Le pack contenait trois modèles de baskets (ci-dessous, de gauche à droite) : l'Air Max 95, l'Air Max 90 et l'Air Max 1. Les modèles 1 et 90 se distinguaient par la combinaison de couleurs classique néon / gris immédiatement reconnaissable de l'Air Max 95 originale. La matière semblable à du feutre utilisée pour la tige et le mesh pour le haut de tige étaient les mêmes que ceux trouvés sur la première Air Max 95. La 95 attira l'attention avec ses accents néon – sur le *Swoosh* de la marque, les bulles d'air et les lacets – ressortant sur un cuir blanc supérieur.

Dave White revisita le thème néon en 2010 dans le cadre des célébrations du 10e anniversaire de Size?. La Nike Air Stab, commercialisée dans la combinaison de couleurs aujourd'hui tristement célèbre Neon en quatre cents exemplaires seulement, était fondée sur une peinture du modèle produite à l'époque de la sortie de la première Neon. Le modèle Air Stab non commercialisé, peint par David White le soir du lancement, est ici représenté (ci-dessous, à l'extrême droite).

INFORMATIONS

ÉDITION
Size? exclusive
SÉRIE
Neon Pack
ANNÉE DE SORTIE
2005
UTILISATION PREMIÈRE
Course
TECHNOLOGIE
MMax Air ; Footbridge (Stab) ; laçage ghillie
PLUS
Lacets de rechange

NIKE AIR 180 x OPIUM

L'EFFET OPIUM

Le magasin futuriste Opium, à Paris, est le temple de Nike et d'Air Jordan depuis l'an 2000, possédant non seulement un compte Tier Zero, mais proposant également quelques-unes des baskets les plus rares de Nike.

En 2005, lorsque Nike décida de revisiter l'Air 180 de 1991, Opium fut choisi pour la commercialiser. Cette collaboration, qui se distinguait par la première réédition d'une Air 180 dans une nouvelle combinaison de couleurs, suscita beaucoup d'intérêt. La version Opium se caractérisait par un talon camouflage gravé au laser et une tige en cuir supérieur noir.

Une version Hyperstrike fut également commercialisée, avec une imitation peau de serpent sur le panneau avant, une empeigne violette et un renfort de talon motif camouflage.

INFORMATIONS

ÉDITION
Opium
ANNÉE DE SORTIE
2005
UTILISATION PREMIÈRE
Course
TECHNOLOGIE
Air 180 ; laser
PLUS
Lacets de rechange

NIKE LUNAR AIR 180 ACG x SIZE?

INFORMATIONS

ÉDITION
Size? only
SÉRIE
Lunar Air 180
ANNÉE DE SORTIE
2010
UTILISATION PREMIÈRE
Course
TECHNOLOGIE
**unarlon ; Air 180 ;
pas de couture ; Torch**

UN ESSAI DE TAILLE POUR SIZE ?

Pour célébrer son 10e anniversaire, le magasin Size? s'associa avec Nike afin de réunir en un modèle les éléments caractéristiques de la chaussure de course classique Nike Air 180 et les particularités de sa gamme ACG prévue pour l'extérieur.

Prenant comme point de départ la semelle intermédiaire et la semelle extérieure de l'Air 180, Size? et Nike améliorèrent les performances de la chaussure en intégrant un matelassage Lunarlon ultraléger le long de l'avant du pied et un panneau en mesh Torch sous la tige sans couture. Ce qui rend toutefois cette basket supérieure aux autres hybrides, c'est l'application de couleurs inspirées de l'Air Terra, un classique de la gamme ACG de 1991.

Limitées à trois cents paires et uniquement disponibles dans les magasins Size? du Royaume-Uni, ces baskets furent difficiles à se procurer à leur sortie et sont aujourd'hui encore très recherchées.

NIKE AIR FORCE 180 x UNION

UN SAFARI AFRICAIN POUR L'AIR FORCE 180

L'une des séries les plus marquantes dans l'histoire de Nike, avec plusieurs éditions en 2005 et 2006, la Clerks, a inclus quelques-unes des meilleures collaborations du monde des baskets.

Pour cette série, les directeurs de certains des magasins les plus influents du monde furent invités à retravailler un classique de Nike.

Des versions furent d'abord présentées dans les magasins Stüssy, Undefeated et Union de Los Angeles. Union choisit l'Air Force 180 et, bien que l'association d'un imprimé safari, de rose et de blanc sur la tige et d'une languette jaune, bleu et gris puisse sembler étrange au premier abord, la manière dont Chris Gibbs d'Union appliqua ces couleurs à la chaussure de basket-ball des années 1990 en fit une basket très convoitée.

INFORMATIONS

ÉDITION
Union
SÉRIE
Clerks
ANNÉE DE SORTIE
2005
UTILISATION PREMIÈRE
Basket-ball
TECHNOLOGIE
Air 180 ;
fermeture par Velcro

NIKE AIR MAX 97 360
x UNION 'ONE TIME ONLY'

UNE FUSION DE MODÈLES

En 2006, Nike présenta l'Air Max 360, qui possédait une semelle Max Air sur toute sa longueur. Pour fêter le lancement de cette nouvelle semelle, Nike sortit la série One Time Only, composée de quatre modèles hybrides Air Max, tous dotés d'une semelle Max Air.

Duo derrière la série Clerks de Nike et cerveaux à l'origine de ce projet, Richard Clarke et Jesse Leyva choisirent quatre de leurs combinaisons de couleurs favorites pour ces nouveaux modèles hybrides.

L'excellente combinaison de couleurs d'Union pour l'Air Force 180 fut admirablement appliquée à cette Air Max 97 360 Tier Zero.

INFORMATIONS

ÉDITION
Union - Tier Zero
SÉRIE
One Time Only
ANNÉE DE SORTIE
2006
UTILISATION PREMIÈRE
Course
TECHNOLOGIE
Max Air ; laçage ghillie

INFORMATIONS

ÉDITION
Slim Shady
SÉRIE
Artist Series
ANNÉE DE SORTIE
2003
UTILISATION PREMIÈRE
Course
TECHNOLOGIE
Max Air

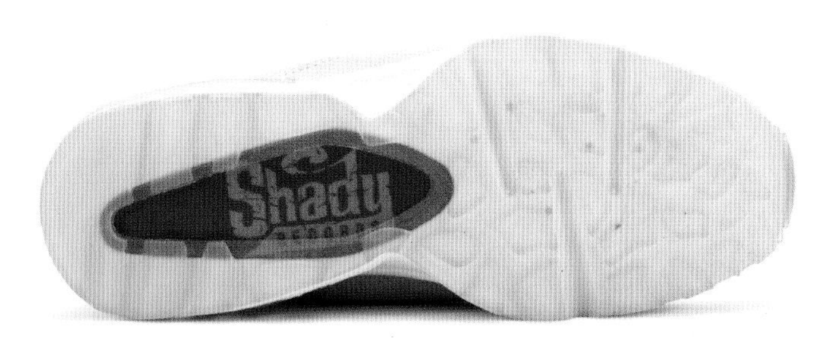

NIKE AIR BURST x SLIM SHADY

SHADY FAIT IRRUPTION SUR LA SCÈNE DES BASKETS

En 2003, Nike créa la série Artist Series, collaborant avec de nombreux artistes dans différents domaines, dont Slim Shady, N.E.R.D., Halle Berry et Stash, chacun profitant de l'opportunité de retravailler sur son modèle préféré.

L'une des baskets les plus marquantes fut proposée par Eminem avec sa Slim Shady Air Burst. Elle se distinguait par une tige en daim et mesh gris, rehaussés de nombreux accents de cuir, le logo Air Slim Shady imprimé sur la languette, un E sur le bijou de lacet et la semelle intérieure et le logo Shady Records sur la semelle de gomme translucide.

Tous les bénéfices de la Slim Shady Air Burst furent reversés à la Marshall Mathers Foundation, créée pour fournir des fonds aux organisations travaillant avec des jeunes en difficulté aux États-Unis.

NIKE AIR MAX 1 x SLIM SHADY

INFORMATIONS

ÉDITION
Slim Shady
SÉRIE
Eminem Charity Series
ANNÉE DE SORTIE
2006
UTILISATION PREMIÈRE
Course
TECHNOLOGIE
Max Air
PLUS
Certificat
d'authenticité

PAS D'IMITATION DU MODÈLE SIGNÉ PAR THE REAL SLIM SHADY

Après avoir travaillé avec Nike sur sa série Artist Series, Eminem s'associa de nouveau avec le géant des vêtements de sport en 2006 en vue de récolter des fonds pour la Marshall Mathers Foundation.

Il collabora ainsi sur une série de modèles Air Max incluant les Air Max 1 (87), 90, 180, 93, 95, 97, 2003 et l'Air Max 360, tous vendus via une vente aux enchères organisée dans les magasins NikeTown de Londres et Nike de Berlin ou sur eBay. Huit paires de chaque modèle furent produites. Seule une paire d'Air Max 1 fut vendue dans le magasin NikeTown de Londres, tandis que les sept autres furent proposées sur eBay.

L'Air Max 1 fut dédicacée par Slim Shady en personne et se distinguait par un dessin imprimé du leader de D12, Big Proof, décédé en 2006.

Les chaussures furent numérotées individuellement de 1 à 8, chaque paire étant accompagnée d'un certificat d'authenticité de la Marshall Mathers Foundation.

NIKE AIR STAB x FOOTPATROL

LA RÉSURRECTION D'UNE AIR STAB

On aperçut rarement l'Air Stab après sa sortie initiale en 1988, jusqu'à ce que le magasin de baskets londonien Footpatrol s'associe avec Nike pour revisiter cette chaussure de course classique.

Le premier modèle sorti en 2005 présentait une tige noir, violet et bleu clair, rehaussée d'une touche de jaune.

Initialement vendues en exclusivité dans le magasin Footpatrol de Londres, ces baskets furent ensuite commercialisées dans des comptes Quickstrike globaux, pour le plus grand soulagement de nombreux fans du modèle.

Des mois plus tard, une deuxième Footpatrol Air Stab fut commercialisée via des comptes Quickstrike, se distinguant par des tons sirop d'érable avec des touches de jaune et de bleu clair rappelant la première version.

Des tee-shirts et des autocollants furent également produits pour compléter cette série très appréciée d'Air Stab.

INFORMATIONS

ÉDITION
Quickstrike
ANNÉE DE SORTIE
2005
UTILISATION PREMIÈRE
Course
TECHNOLOGIE
Visible Air ; Footbridge
PLUS
Mug ; lacets de rechange ; tee-shirt ; autocollants ; Stabb au lieu de Stab sur certaines boîtes

NIKE AIR STAB x HITOMI YOKOYAMA

INFORMATIONS

ÉDITION
Air You Breathe
ANNÉE DE SORTIE
2006
UTILISATION PREMIÈRE
Course
TECHNOLOGIE
Visible Air ;
Footbridge
PLUS
Coupe-vent ;
tee-shirt

YOKOYAMA FAIT SORTIR UN LAPIN DU CHAPEAU

Le projet Nike Air You Breathe Quickstrike se distinguait par des collaborations avec trois artistes : Kevin Lyons, Ben Drury et Hitomi Yokoyama. Chaque collection offrait un tee-shirt, un coupe-vent et une paire de baskets, tous fondés sur le concept Air.

Hitomi Yokoyama, basé aux États-Unis, connu pour son travail avec les marques de streetwear Gimme 5 et GOODENOUGH, travailla sur le modèle Air Stab et produisit une version aux reflets violets.

La chaussure se distinguait également par un lapin choisi pour représenter l'agilité et la rapidité. Les pattes du lapin étaient visibles au niveau du talon, tandis qu'une impression couleur saisissante sur la tige assurait que la chaussure se remarque et que l'on s'en souvienne.

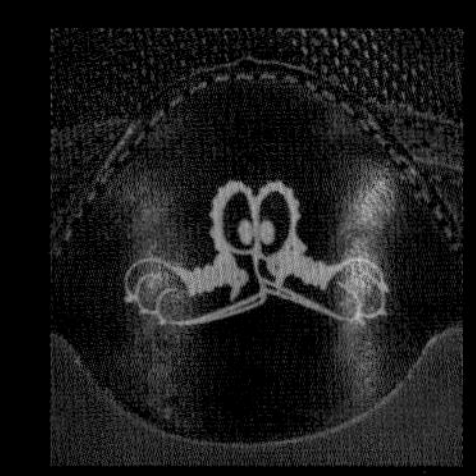

NIKE AIR CLASSIC BW & AIR MAX 95 x STASH

NIKE-STASH : UN CLASH MÉMORABLE

Stash fut l'un des premiers artistes à collaborer avec Nike sur la série Artist Series en 2003 et sa réédition de l'Air Classic BW constitua un moment clé dans le mouvement de la culture basket en plein essor.

Les matériaux choisis pour la tige étaient inspirés de ceux de la gamme ACG de Nike, avec un tissu Clima-FIT imperméable, un *Swoosh* en caoutchouc recyclé et des panneaux en cuir et nubuck supérieurs. Chaque paire était individuellement numérotée de 1 à 1 000 et se distinguait par le logo de Stash sur la languette ainsi qu'une illustration sur la semelle intérieure.

L'ensemble arborait plusieurs tons de bleu ; ce même thème fut choisi pour la collection Blue Pack de Stash en 2006, composée d'une Air Max 95 et d'une Air Force 1 (page 136), toutes deux proposées dans les mêmes couleurs et matériaux. Un peu moins de deux mille exemplaires de ce modèle furent produits.

INFORMATIONS

ÉDITION
Stash
SÉRIE
Artist Series
ANNÉE DE SORTIE
2003
UTILISATION PREMIÈRE
Course
TECHNOLOGIE
Max Air ; Clima-FIT
PLUS
Étiquette volante, boîte coulissante

INFORMATIONS

ÉDITION
Stash
SÉRIE
Blue Pack
ANNÉE DE SORTIE
2006
UTILISATION PREMIÈRE
Course
TECHNOLOGIE
Max Air

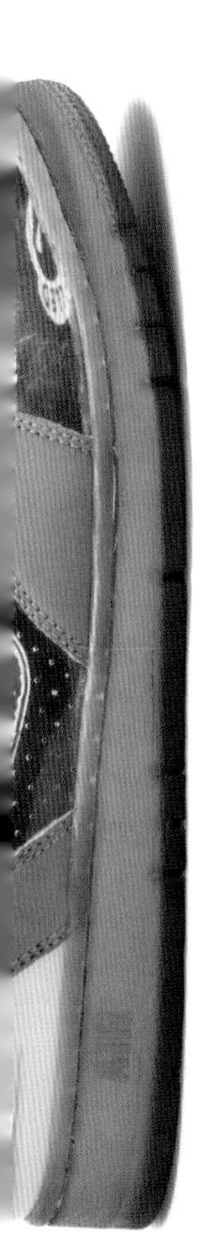

NIKE AIR FORCE II x ESPO

LE CHOIX DE LA TRANSPARENCE

Connu pour ses graffitis pendant les années 1990 à Philadelphie et New York, Steve Powers, alias ESPO (Exterior Surface Painting Outreach), se rendit célèbre en apposant sa marque sur de nombreux bâtiments, panneaux d'affichage et volets de vitrines de magasins, soit vierges, soit précédemment recouverts d'autres œuvres, les marquant généralement des caractères ESPO en noir et blanc.

La réédition de l'Air Force II par ESPO fut le premier modèle de baskets à utiliser des panneaux translucides pour la tige. Le modèle se distinguait également par des panneaux en 3M réfléchissant et des illustrations d'ESPO sur le talon et la semelle intérieure. Chaque paire était accompagnée de chaussettes à porter avec les baskets. Les recettes issues des ventes furent versées à l'association caritative choisie par l'artiste, God's Love We Deliver, qui fournit des repas aux personnes dans le besoin.

INFORMATIONS

ÉDITION
ESPO
PACK
Artist Series
ANNÉE DE SORTIE
2004
UTILISATION PREMIÈRE
Basket-ball
TECHNOLOGIE
Air ; laçage ghillie
PLUS
Chaussettes ; étiquette volante

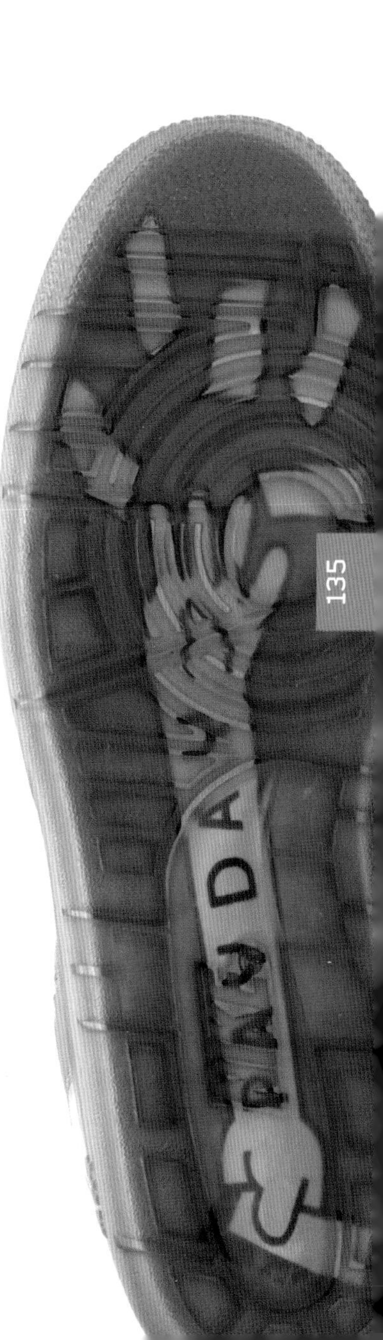

NIKE AIR FORCE 1 MODÈLES EN ÉDITION LIMITÉE ET ISSUS DE COLLABORATIONS

DES FORCES À NE PAS NÉGLIGER

Dans notre première édition de ce guide des collectionneurs, nous avions évoqué quelques versions d'Air Force 1 – sans aucun doute l'un des plus grands modèles Nike de tous les temps – en édition limitée et issues de collaborations. Depuis lors, les versions n'ont cessé de se multiplier.

Après avoir célébré ses 25e et 30e anniversaires, l'Air Force 1 a été modifiée avec de multiples technologies, matériaux et coloris, parallèlement au développement de l'outil de personnalisation NIKEiD. Pour beaucoup, l'Air Force 1 restera toutefois toujours assimilée à la version entièrement blanche. Cette dernière a été subtilement modifiée pour donner, par exemple, l'édition 2005 ultra-blanche faite d'une seule pièce (chaussure n° 3, ci-contre). Voici une sélection des meilleurs modèles.

1: AF-X Mid x Stash/Recon
2: Air Force 1 Supreme x Questlove
3: Air Force 1 LTD 1 Piece
4: Air Force 1 '03 x Huf Hufquake
5: AF-X Mid x Stash/Recon
6: Air Force 1 Supreme x Alife Rivington Club
7: Air Force 1 Supreme x Krink (Hyperstrike)
8: Air Force 1 Lux '07 Crocodile
9: Air Force 1 LA '03 x Mr Cartoon (Quickstrike)
10: Air Force 1 Year Of The Dog (Tier Zero)
11: Air Force 1 Premium x Stash
12: Air Force 1 Supreme x Krink
13: Air Force 1 Supreme Max Air x Nitraid
14: Air Force 1 x Livestrong x Mr Cartoon (Tier Zero)
15: Air Force 1 x HTM Croc
16: Air Force 1 Lux max Air Pearl Collection
17: Air Force 1 Supreme Year Of The Rabbit
18: Air Force 1 Premium Invisible Woman
19: Air Force 1 x Mr Cartoon Brown Pride
20: Air Force 1 High Premium x Bobbito Mac N' Cheese

3
4
5
8
9
10
13
14
15
18
19
20
AIR

NIKE AIR FORCE 1 FOAMPOSITE 'TIER ZERO'

UN COMPOSITE ENTRE AIR FORCE ET FOAMPOSITE

Pendant les trois décennies qui ont suivi sa sortie, l'Air Force 1 a connu de nombreux changements mais peu d'entre eux ont été aussi importants que sa fusion avec la Foamposite.

Cette Air Force 1 fut complètement relookée d'un point de vue technologique lorsque deux des chaussures innovantes de Nike fusionnèrent pour donner la Nike Air Force 1 Foamposite Tier Zero, associant l'ancienne école et la nouvelle.

La technologie Foamposite diminuait le nombre de couches de matériau nécessaire pour fabriquer l'Air Force 1, rendant la chaussure plus légère, augmentant le maintien au niveau de la tige et offrant également un meilleur niveau de performance, de résistance, de soutien et de protection.

La semelle argent métallisé et translucide sans couture donnait à cette chaussure un look futuriste soulignant le procédé de fabrication révolutionnaire de la Foamposite en deux moules.

Cette édition fut commercialisée le week-end du World Basketball Festival en août 2010.

INFORMATIONS

ÉDITION
Foamposite Tier Zero
ANNÉE DE SORTIE
2010
UTILISATION PREMIÈRE
Basket-ball
TECHNOLOGIE
Air ; Foamposite ; fermeture par Velcro

NIKE AIR FOAMPOSITE ONE 'GALAXY'

EXTRATERRESTRE

La Foamposite, chaussure Nike caractéristique de la star du basket-ball Penny Hardaway, suscita peu d'intérêt au moment de sa sortie en 1997 – peut-être en avance sur son temps – et sa technologie séduisante ne perça jamais vraiment.

En 2012, pour commémorer le retour de Penny à Orlando pour le NBA Celebrity All-Star Game, Nike édita une Foamposite Galaxy en un nombre très limité d'exemplaires.

Quelque cinq cents personnes se présentèrent dans la plupart des magasins pour acheter ces baskets qui se vendaient alors 220 $. Cette sortie attira l'attention de la police lorsque des files de personnes bien en ordre devinrent tout à coup frénétiques.

La basket futuriste, sur le thème galactique, avec une semelle phosphorescente, devint un classique en un instant et est aujourd'hui très recherchée sur les sites de vente aux enchères de baskets.

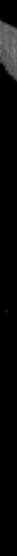

INFORMATIONS

ÉDITION
Galaxy
ANNÉE DE SORTIE
2012
UTILISATION PREMIÈRE
Basket-ball
TECHNOLOGIE
Air ; Foamposite

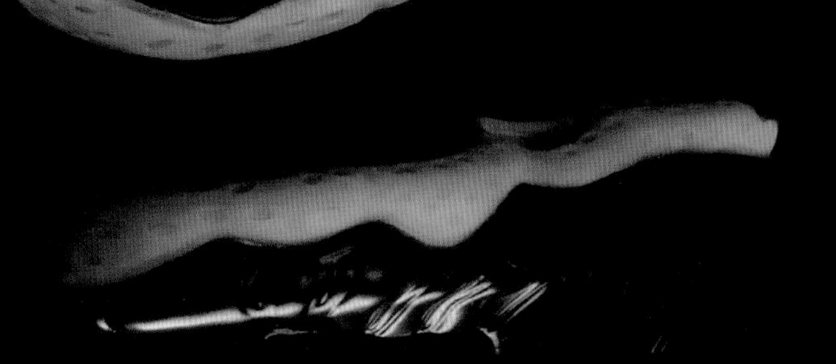

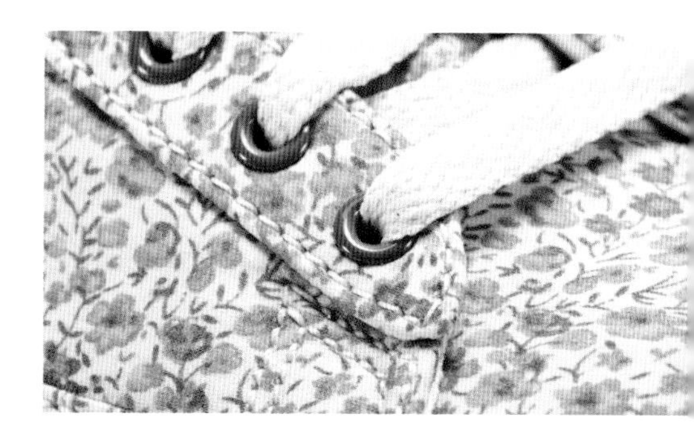

NIKE BLAZER x LIBERTY

MOTIF FLORAL

Nike et Liberty, grand magasin de Londres mondialement célèbre, entretiennent un partenariat de longue date et fructueux.

À la suite du succès de la Dunk de Nike en 2008, la Liberty Blazer fut commercialisée le jour de la Saint-Valentin en 2009, un modèle exclusivement réservé aux femmes.

Nike dota la Blazer – la première chaussure de basket-ball jamais produite par Nike, au début des années 1970 – d'un des tissus emblématiques de Liberty, avec un imprimé floral du nom de Phoebe sur l'ensemble de la chaussure. Ce dernier formait un contraste intéressant avec les couleurs habituellement unies de ce modèle épuré.

INFORMATIONS

ÉDITION
Liberty
ANNÉE DE SORTIE
2009
UTILISATION PREMIÈRE
Basket-ball
TECHNOLOGIE
Semelle vulcanisée ; semelle à chevrons

NIKE SB BLAZER x SUPREME

VOYANTES ET AUDACIEUSES

Les Nike Blazer sont sorties depuis un petit moment – plus de quatre décennies – et constituent aujourd'hui encore un élément essentiel de toute garde-robe. Nike s'est associé à la marque emblématique Supreme pour proposer une réédition de la SB Blazer, différente de la version d'origine dédiée au basket-ball, et adaptée à la pratique du skateboard en ajoutant un rembourrage supplémentaire autour du col et de la languette, ainsi qu'une semelle intérieure Zoom Air.

Proposé en trois coloris, à base de rouge, de noir et de blanc, chaque modèle arborait un large *Swoosh* gris motif python et souhaitait attirer l'œil avec un ruban en tissu de style Gucci et un anneau en métal doré en forme de D sur le talon. La tige en cuir matelassé augmentait encore l'impression générale de qualité supérieure.

Des individus campèrent devant le magasin Supreme le jour de la sortie de ces baskets, aujourd'hui encore populaires.

INFORMATIONS

ÉDITION
Supreme

ANNÉE DE SORTIE
2006

UTILISATION PREMIÈRE
Skateboard

TECHNOLOGIE
Semelle vulcanisée, semelle à chevrons ; Zoom Air

PLUS
Lacets de rechange

NIKE VANDAL x APARTMENT STORE 'BERLIN'

INFORMATIONS

ÉDITION
Hyperstrike
SÉRIE
Apartment Store Berlin
ANNÉE DE SORTIE
2003
UTILISATION PREMIÈRE
Basket-ball
TECHNOLOGIE
Fermeture par Velcro ; point de pivot

LE MUST DE BERLIN

L'Apartment store de Berlin n'est pas connu aujourd'hui pour un modèle Nike mais en 2003 ce magasin de mode haut de gamme produisit discrètement une Vandal Hyperstrike en quantité extrêmement limitée.

Avec vingt-quatre paires seulement distribuées aux amis, à la famille et au passant curieux, on vit rarement ces baskets. Lorsque nous avons écrit ce livre, une paire était en vente sur un site de ventes aux enchères connu au prix de 5000 $...

Ce modèle a conservé les caractéristiques de celui des années 1980 avec des couleurs de style OG Vandal sur une toile en Nylon associant du noir, du gris et du rose vif, auparavant jamais vues sur une Vandal.

Parmi les détails, on remarquait une tour de télévision (Fernsehturm) brodée sur le talon, Berlin brodé sur le renfort du talon et l'étiquette Apartment cousue derrière la languette.

NIKE VANDAL SUPREME 'TEAR AWAY' x GEOFF McFETRIDGE

VANDALE : PERSONNE QUI DÉTRUIT CE QUI EST BEAU

Pour sa version de la Vandal, l'artiste Geoff McFetridge, basé à Los Angeles, s'inspira concrètement du nom du modèle.

Neuves, ces baskets semblaient sans défaut et bien blanchies, avec un coton à fines rayures et des coutures étanchées.

Mais une fois que la toile de coton commençait à s'user, elle laissait apparaître les œuvres de Geoff, illustrant la phrase « Je ne peux tout simplement pas m'arrêter de détruire ».

L'imprimé graphique blanc et argent du dessous complétait l'emblème des « dents » de Geoff McFetridge sur le renfort du talon.

Ce modèle fut également proposé en blanc et vert olive.

INFORMATIONS

ÉDITION
Geoff McFetridge
ANNÉE DE SORTIE
2003
UTILISATION PREMIÈRE
Basket-ball
TECHNOLOGIE
Fermeture par Velcro ; point de pivot
PLUS
Lacets de rechange

NIKE TENNIS CLASSIC AC TZ 'MUSEUM' x CLOT

LE FUTUR CLASSIQUE DE CLOT

Pour cette collaboration, CLOT, basé à Hong Kong, voyait dans les lignes nettes et simples de cette chaussure de tennis classique le symbole du « vintage old-school » et voulait créer un « futur retour dans le présent ».

Optant pour une tige futuriste en argent métallisé, avec des accents de rouge qui symbolisent la chance dans la culture chinoise, Edison Chen de CLOT demanda à chaque membre de son équipe de choisir une paire ; ces paires numérotées furent individuellement poncées à la main afin de créer un effet usé unique, puis vendues dans une boîte à trésor chinoise traditionnelle. Pour ceux qui n'arrivèrent pas à mettre la main sur une édition personnalisée, une feuille de papier de verre était fourn dans la boîte afin qu'ils personnalisen eux-mêmes leurs baskets.

Edison Chen voyait ce modèle de chaussures de tennis classique comme une future pièce de musée d'ici à cinquante ans, ce qui se refléta dans l'emballage et la conception d'ensemble.

INFORMATIONS

ÉDITION
Tier Zero
SÉRIE
CLOT Museum
ANNÉE DE SORTIE
2012
UTILISATION PREMIÈRE
Tennis
TECHNOLOGIE
Semelle à chevrons
PLUS
Boîte à trésors chinoise ; papier de verre

INFORMATIONS

ÉDITION
Tier Zero
SÉRIE
Wood Wood
ANNÉE DE SORTIE
2009
UTILISATION PREMIÈRE
Course extérieure
TECHNOLOGIE
Ion-mask ; Lunarlon ; Dynamic Support ; Nike+

NIKE LUNARWOOD+ x WOOD WOOD

UNE PETITE RÉVOLUTION

La marque scandinave Wood Wood est à l'origine de la Lunarwood, version modernisée de la Nike Wildwood adaptée à l'environnement urbain d'aujourd'hui, caractérisée par le système d'amorti révolutionnaire Lunarlon associé à la technologie Dynamic Support.

Wood Wood choisit d'adapter un modèle ACG extérieur classique aux environnements urbains d'aujourd'hui, sans oublier les marques de style qui firent de la chaussure un modèle recherché dès le début. La tige se caractérisait par la technologie Ion-mask veillant à assurer le confort du pied et à le garder au sec, la semelle Lunarlon en faisant une chaussure de course idéale ultralégère avec amorti pour des mouvements rapides et dynamiques. Parmi les autres détails, on remarquait un audacieux WW sur le talon gauche et le dessin d'une pleine lune en éclipse sur la semelle intérieure, inspiré par des expéditions nocturnes (de graffitis).

Cette réédition moderne minimaliste d'un classique ACG fut commercialisée en quantité limitée dans les magasins Tier Zero.

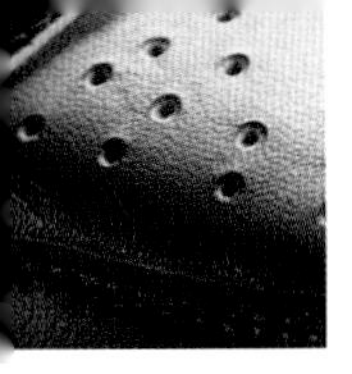

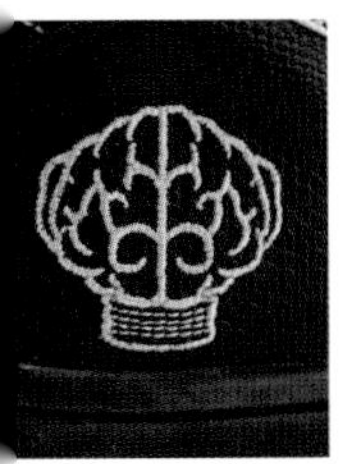

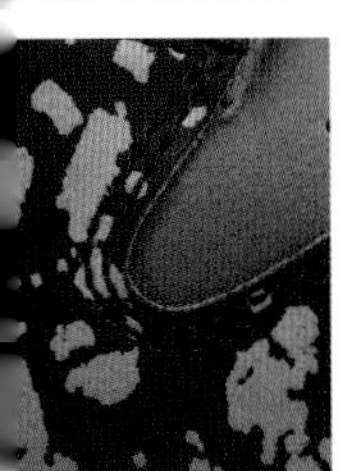

NIKE DUNK ÉDITIONS

MENTION TRÈS BIEN

Le modèle Dunk, en versions montante et basse, a donné lieu à toute une série de collaborations à partir de sa création en 1985.

Les fans de N.E.R.D. adoraient la Dunk Artist Series de Pharrell Williams, une basket montante imitation serpent noir aux lacets rouges, édité en mille cinquante paires individuellement numérotées ; un échantillon unique rare a été repéré en ligne avec une tige entièrement composée de peau de serpent, étiqueté « 0000 de 1050 ».

Le modèle bas d'Undefeated, de 2002, se distinguait par son motif éclaboussures unique et son choix de couleur inattendu.

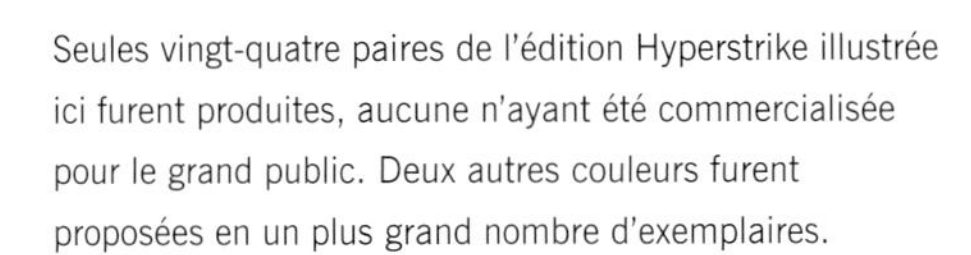

Seules vingt-quatre paires de l'édition Hyperstrike illustrée ici furent produites, aucune n'ayant été commercialisée pour le grand public. Deux autres couleurs furent proposées en un plus grand nombre d'exemplaires.

En 2003, le motif délavé et peint à la bombe de la Premium Haze dunk d'Eric Haze (légendaire artiste graffeur et créateur new-yorkais dont l'œuvre inclut notamment les logos Public Enemy et MTV) suscita plus d'attention.

INFORMATIONS

ÉDITION
Pharrell Williams
SÉRIE
Artist Series
ANNÉE DE SORTIE
2004
UTILISATION PREMIÈRE
Basket-ball
TECHNOLOGIE
Point de pivot

INFORMATIONS

ÉDITION
Haze
ANNÉE DE SORTIE
2003
UTILISATION PREMIÈRE
Basket-ball
TECHNOLOGIE
Point de pivot

INFORMATIONS

ÉDITION
Hyperstrike
SÉRIE
Undefeated
ANNÉE DE SORTIE
2002
UTILISATION PREMIÈRE
Basket-ball
TECHNOLOGIE
Point de pivot

NIKE DUNK SB ÉDITIONS

DU ALLEY-OOP AU OLLIE

Depuis 2002, Nike SB a lancé un grand nombre de baskets Dunk Pro SB, souvent en collaboration avec des skateurs sponsorisés Nike Pro ou des marques et des artistes liés au skateboard.

L'amorti constitua le point clé de l'évolution de la Dunk de la version basket-ball d'origine à la version skate ; une semelle intérieure Zoom Air fut, en effet, intégrée à la basket.

La Dunk SB insistait également sur l'amorti via son haut de tige et sa languette, maintenue en place par une bande élastique.

La Dunkle vit le jour alors que la maison de disques britannique Mo' Wax était sur le point de sortir le second album d'U.N.K.L.E., *Never, Never, Land*. La chaussure était décorée avec des œuvres de l'artiste graffeur Futura figurant sur la couverture de l'album, sous la direction des directeurs artistiques associés de Mo' Wax, Ben Drury et Will Bankhead. On la surnomma ainsi logiquement l'U.N.K.L.E. Dunkl'.

L'artiste de rue Pushead créa également un package global Dunk SB, appliquant ses illustrations sur les Dunk, la boîte et les étiquettes volantes, rendant ainsi la chaussure très recherchée.

INFORMATIONS

ÉDITION
U.N.K.L.E. DUNKLE
SÉRIE
Nike SB
ANNÉE DE SORTIE
2004
UTILISATION PREMIÈRE
Skateboard
TECHNOLOGIE
Zoom Air ; point de pivot

INFORMATIONS

ÉDITION
Pushead
SÉRIE
Nike SB
ANNÉE DE SORTIE
2005
UTILISATION PREMIÈRE
Skateboard
TECHNOLOGIE
Zoom Air ; point de pivot

FRANKENDUNK – ELLES SONT VIVANTES !

Depuis 2002, Nike SB sort des SB Dunk en édition limitée, jamais rééditées entre-temps et qui avaient autrefois connu un grand succès. Pour créer les What The Dunk, Nike a choisi un élément ou un panneau de chaque ancien modèle de Dunk SB et les a combinés dans le style Frankenstein.

Cette édition extrêmement limitée sortie en 2007 coïncida avec le film Nike SB, *Nothing But the Truth*, dont la réalisation dura trois ans. Nous avons choisi de nous intéresser à ce « monstre », de photographier toutes les Dunk ensemble et de montrer d'où provenait chaque élément. Quelques Dunk nous ont toutefois échappé, comme les très rares Medicom I, II et III.

Il s'agissait cependant d'un bon moyen de rassembler le plus grand nombre possible de Dunk SB sur une double page, dans la mesure où il est presque impossible de les comparer.

Toutes les éditions illustrées ici sont rares et recherchées pour différentes raisons. Leur nom ne reflète pas nécessairement une collaboration directe, mais fait souvent référence à la source d'inspiration de la chaussure ou à la manière dont elle est perçue.

INFORMATIONS

ÉDITION
What The Dunk
SÉRIE
Nike SB
ANNÉE DE SORTIE
2007
UTILISATION PREMIÈRE
Skateboard
TECHNOLOGIE
Zoom Air ; point de pivot

PIED GAUCHE (dans le sens des aiguilles d'une montre à partir d'en haut à gauche)
Dunk Low Pro SB Paris – 2003
Dunk Low Pro SB Heineken – 2003
Dunk Low Pro SB Avengers – 2005
Dunk Low Pro SB Shanghai – 2004
Dunk High Pro SB Lucky 7 – 2004
Dunk High Pro SB Sea Crystal – 2004
Dunk Low Pro SB Raygun – 2005
Dunk High Pro SB x Supreme – 2003
Dunk Low Pro SB Cali – 2004
Dunk High Pro SB Unlucky 13 – 2004
Dunk Low Pro SB x Supreme – 2002
Dunk Low Pro SB Red Hemp – 2004
Dunk Low Pro SB Blue Hemp – 2004
Dunk High Pro SB x Supreme – 2003

PIED DROIT (dans le sens des aiguilles d'une montre à partir d'en haut à gauche)
Dunk High Pro SB x Supreme – 2003
Dunk Low Pro SB Jedi – 2004
Dunk Low Pro SB Tiffany – 2005
Dunk Low Pro SB Carhartt – 2004
Dunk High Pro SB T-19 – 2005
Dunk Low Pro SB London – 2004
Dunk Low Pro SB Tweed – 2004
Dunk Low Pro SB Bison – 2003
Dunk High Pro SB De La Soul – 2005
Dunk High Pro SB Lucky 7 – 2004
Dunk Low Pro SB Oompa Loompa – 2005
Dunk High Pro SB x Huf – 2004
Dunk Low Pro SB Shanghai II – 2005
Dunk Low Pro SB Pigeon – 2005
Dunk Low Pro SB Buck – 2003
Dunk High Pro SB Daniel Shimizu – 2004

NIKE ZOOM BRUIN SB x SUPREME

INFORMATIONS

ÉDITION
Supreme
ANNÉE DE SORTIE
2009
UTILISATION PREMIÈRE
Skateboard
TECHNOLOGIE
Zoom Air ; semelle à chevrons
PLUS
Porte-clés ; lacets de rechange

LA BRUIN ACCÈDE AU MONDE DU SKATEBOARD

La Bruin 1972, l'une des premières chaussures de basket-ball basses de Nike, sera la prochaine à être adaptée à la pratique du skateboard, avec un rembourrage supplémentaire et l'ajout d'une semelle Zoom Air. Supreme aida la Bruin à accéder au monde du skateboard en 2009 alors que Nike cherchait un successeur à la Blazer Low SB.
Proposée en quatre coloris, la Nike Zoom Bruin SB se distinguait par une impression couleur typique de Supreme – dans le respect des Bruins d'origine – avec une tige noire, rouge, verte ou blanche et des lacets assortis contrastant sur des semelles intermédiaires blanches. La célèbre marque Nike World Famous figurait sur les talons, rappelant le propre logo de Supreme, tandis qu'un Swoosh métallique complétait le tout pour attirer l'œil. Ces baskets étaient accompagnées d'un porte-clés World Famous et une veste en sergé assortie était également disponible.

INFORMATIONS

ÉDITION
Supreme
ANNÉE DE SORTIE
2007
UTILISATION PREMIÈRE
Skateboard
TECHNOLOGIE
Zoom Air ; bande de soutien de l'avant-pied
PLUS
Lacets de rechange ; veste universitaire de base-ball

NIKE AIR TRAINER II SB x SUPREME

DU MULTISPORT AU SKATEBOARD

Bo Jackson fut le premier athlète à se classer parmi les étoiles de deux sports, le base-ball et le football américain ; il fut également l'homme de premier plan de Nike pour sa gamme de chaussures polyvalentes Air Trainer, les Bo Knows. L'un des modèles fut l'Air Trainer TW II (TW signifiant « Totally Washable », entièrement lavable), une version basse, plus légère que les modèles précédents. En 2008, Supreme s'associa avec Nike pour reproduire ce modèle, jamais réédité auparavant, s'inspirant de l'Air Trainer et le redessinant complètement avec le skateboard en tête.

Quatre coloris furent proposés avec une semelle extérieure translucide révélant le logo Supreme sous la chaussure. Pour l'Air Trainer TW, l'équipe Nike SB s'inspira de la robustesse de l'Air Trainer III, produisant ainsi une version améliorée tout en conservant l'esthétique d'origine. Cependant, avec leurs panneaux en daim, ces nouvelles chaussures n'étaient bien évidemment plus « entièrement lavables ».
Ainsi naquit l'Air Trainer II SB.

NIKE FLYKNIT x HTM

SUPER-FLY KNIT

La Flyknit révolutionnaire de Nike mettait en évidence le travail du trio de créateurs HTM. Connu pour soutenir les éditions inattendues ou peu orthodoxes de Nike, telles que les Woven (pages 110-111), HTM se familiarisa avec la technologie Flyknit et produisit toute une série de versions uniques des Lunar Flyknit et Flyknit Racer.

La nouvelle technologie visait à fabriquer des chaussures de course plus légères, freinant moins les athlètes ; la Knit était ainsi conçue d'un seul tenant, évitant les multiples panneaux cousus ensemble.

Sont ici illustrées quelques-unes des nombreuses éditions HTM de la Lunar Flyknit lancées au cours de l'année 2012, ainsi que la Flyknit Racer, sortie pour coïncider avec les couleurs de la tenue de l'équipe américaine d'athlétisme pour les jeux Olympiques de 2012 (illustrée ci-dessous, à gauche et à droite).

Chaque édition fut commercialisée en un petit nombre d'exemplaires avec HTM intégré à la languette ; certaines paires sont également numérotées.

INFORMATIONS

ÉDITION
Tier Zero
SÉRIE
HTM
ANNÉE DE SORTIE
2012
UTILISATION PREMIÈRE
Course
TECHNOLOGIE
Flyknit ; Flywire ; Lunarlon ; Nike+

LUNARLON

NIKE AIR YEEZY x KANYE WEST

TAKE IT YEEZY

En 2009, Nike s'associa à l'artiste primé Kanye West pour imaginer et créer la première chaussure de marque non réalisée par un athlète dans l'histoire de Nike : la Nike Air Yeezy.

Cette basket suscita un intérêt incomparable ; l'édition britannique fut même évoquée dans de grands journaux nationaux.

La Yeezy arborait une tige en cuir pleine fleur et une semelle extérieure Air Assault remasterisée phosphorescente. Parmi les autres détails, on remarquait une bande de soutien de l'avant-pied en cuir verni, une bande en daim noir supérieur avec un Y brodé autour de l'empeigne et Yeezy inscrit sur le tirant du talon.

Trois combinaisons de couleurs de l'Air Yeezy furent particulièrement connues sous les noms de Zen Greys (illustrées ci-dessous, deuxième paire à partir de la gauche), Nets (au centre) et Black and Pinks (deuxième paire en partant de la droite).

La Yeezy II, sortie en 2012, célébra les modèles multisports emblématiques de Nike ; elle se basait sur la semelle extérieure de la chaussure de tennis Nike Air Tech Challenge II, avec l'ajout d'une bande moulée à l'avant-pied. Une approche obsessionnelle des matières résulta dans un luxueux mélange de cuir, Nylon balistique solide et nubuck souple. Plusieurs détails subtils faisaient également référence à l'Égypte ancienne : le dieu Horus sur la languette ; un Velcro avec YZY en hiéroglyphes, des ferrets de lacets en forme d'obélisque et la texture anaconda sur les œillets et le lacet en cuir à bascule qui portait le chiffre romain II.

Les Air Yeezy II étaient proposées en noir / rouge (à l'extrême gauche) et platine / rouge (à l'extrême droite).

INFORMATIONS

ÉDITION
Quickstrike/NRG
SÉRIE
Air Yeezy/Air Yeezy II
ANNÉE DE SORTIE
2009/2012
UTILISATION PREMIÈRE
Quotidienne
TECHNOLOGIE
Air Yeezy : Air ; bande de soutien de l'avant-pied ; point de pivot ; haut de tige matelassé
Air Yeezy II : bande de soutien de l'avant-pied ; semelle à chevrons ; renfort de talon extérieur

NIKE

NIKE AIR MAG

UNE MAGNIFIQUE SENSIBILISATION À LA MALADIE DE PARKINSON

À l'origine créée par le grand designer de Nike, Tinker Hatfield, en 1989, l'Air Mag était portée par le personnage de Marty McFly, joué par Michael J. Fox, dans *Retour vers le futur II*. Tous les films *Retour vers le futur* remontent à 1985 ; pour ce film, les réalisateurs demandèrent à Tinker de concevoir une chaussure qui devait avoir l'air d'avoir été fabriquée trente ans plus tard.

Après la sortie du film, des passionnés de baskets insistèrent pour que cette chaussure devienne réelle. Ainsi, cinq années plus tard, Nike proposa un modèle le plus fidèle possible à l'original du film. Ce projet avait pour objectif d'augmenter la sensibilisation à la maladie de Parkinson et de récolter des fonds pour la Fondation Michael J. Fox.

La chaussure possédait une semelle extérieure électroluminescente alimentée par une batterie rechargeable dotée d'une durée de vie de trois mille heures et qui, une fois chargée, pouvait rester lumineuse pendant quatre heures.
Le modèle était proposé dans une boîte en carton sur mesure avec un système de fermeture magnétique, un certificat d'authenticité, un DVD, un manuel et un pin's.

Seules mille cinq cents paires furent proposées via le site de vente aux enchères en ligne eBay.

INFORMATIONS

ÉDITION
Air Mag
ANNÉE DE SORTIE
2011
UTILISATION PREMIÈRE
Objet d'exposition uniquement
TECHNOLOGIE
Electroluminescente ; panneau LED ; Air ; rechargeable
PLUS
DVD avec vidéos ; brochure / manuel ; certificat d'authenticité ; pin's ; boîte sur mesure

AIR JORDAN

Difficile de savoir par où commencer lorsqu'on évoque les Air Jordan de Nike, probablement la gamme la plus importante dans l'histoire des baskets.

À commencer par la jeune star du basket-ball Michael Jordan, qui changea la donne pour toujours, en passant par les amendes imposées lorsqu'il porta les Air Jordan I rouges et noires interdites en NBA, les publicités légendaires Mars Blackmon de Spike Lee et les incroyables Air Jordan III de Tinker Hatfield qui convainquirent Michael de rester fidèle à Nike, l'histoire est aussi intéressante que les baskets sont incroyables.

La gamme Air Jordan compte actuellement vingt-trois paires et s'est étendue pour inclure une sélection d'autres chaussures et vêtements pour un grand nombre de sports différents. La gamme a connu un tel succès qu'elle est aujourd'hui devenue une division indépendante de Nike et est connue sous le nom de Jordan Brand.

Air Jordan est resté un leader en matière de performance sportive, avec des noms tels que les superstars de la NBA, Chris Paul et Carmelo Anthony (page 163), ou Derek Jeter et Jimmy Rollins, stars du base-ball, tous représentants du logo Jumpman.

Les rééditions d'anciens modèles populaires, tels que l'Air Jordan III et l'Air Jordan IV, continuent à susciter l'intérêt des passionnés de chaussures de sport, désireux de revivre un moment de leur passé, aux côtés d'amateurs plus jeunes de la marque, attirés par son histoire et ses modèles classiques.

Jordan Brand a produit de remarquables collaborations et éditions limitées au fil des ans. L'Air Jordan III, l'Air Jordan IV et l'Air Jordan V ont, par exemple, provoqué les plus grosses frénésies sur le marché des éditions limitées. Même des mélanges de ces anciennes baskets, tels que la Spiz'ike – une collaboration entre Spike Lee et Michael Jordan en personne – ont immédiatement attiré l'attention.

Jordan Brand demeure au premier plan de la conception, travaillant avec des associations caritatives incluant la Fondation de l'hôpital pour enfants Doernbecher et nouant des relations plus traditionnelles, par exemple avec des artistes tels que Dave White (page 172).

On remarque aussi et surtout la collection Air Jordan Bin 23, qui utilise uniquement des matériaux de qualité supérieure et s'inspire d'une sélection de modèles classiques.

INFORMATIONS

ÉDITION
Sole to Sole
ANNÉE DE SORTIE
2009
UTILISATION PREMIÈRE
Basket-ball
TECHNOLOGIE
Air ; fermeture par Velcro ; point de pivot

AIR JORDAN I RETRO HIGH STRAP 'SOLE TO SOLE'

MIDNIGHT MARAUDERS

L'Air Jordan I High Strap est rarement produite en édition limitée, donc lorsqu'elle fut lancée en quantités très limitées en 2009, avec comme source d'inspiration l'album du groupe de hip-hop A Tribe Called Quest, il ne fut pas surprenant qu'elle connaisse un grand succès.

Sa tige se composait de toile noire – rarement vue sur une Air Jordan – associée à des panneaux en cuir poli noir et un *Swoosh* noir verni pour ajouter un contraste textural. Des accents rouges et verts faisaient référence aux illustrations de la pochette de l'album *Midnight Marauders* de 1993 du grand groupe de hip-hop. Elles furent difficiles à trouver, étant uniquement vendues via des « comptes urbains. »

AIR JORDAN I RETRO HIGH
'25TH ANNIVERSARY'

NOCES D'ARGENT POUR DES BASKETS

Comment pourrait-on mieux célébrer ces noces d'argent qu'avec l'édition Air Jordan I Retro High ?

Sorties en 2010 pour le 25e anniversaire du modèle, ces baskets possédaient une tige composée d'un mélange de nubuck gris et de cuir métallisé, avec le logo 23/25 de l'Air Jordan 2010 inscrit sur la languette.

Elles étaient vendues dans une mallette en aluminium garnie de mousse avec l'illustration du logo 23/25 juste en dessous de la poignée ; elles ne furent disponibles que dans des magasins Jordan choisis à travers le monde.

INFORMATIONS

ÉDITION
25th Anniversary
ANNÉE DE SORTIE
2010
UTILISATION PREMIÈRE
Basket-ball
TECHNOLOGIE
Air ; point de pivot
PLUS
Mallette en aluminium

AIR JORDAN I RETRO HIGH RUFF N TUFF ‘QUAI 54’

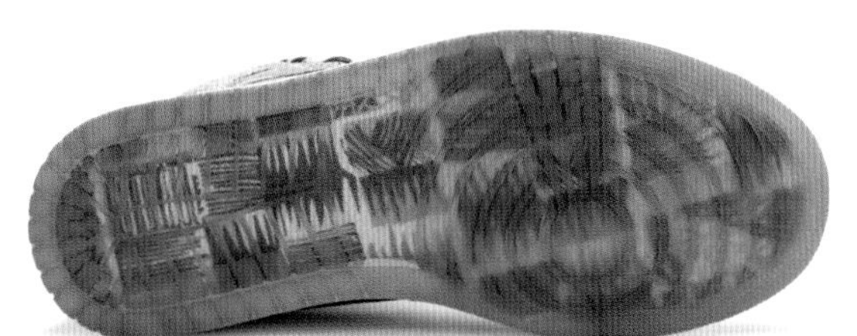

L’AIR JORDAN I BLEU LASER SE PRÉCIPITE SUR LE TERRAIN

En 2009, Jordan Brand arriva à Paris pour le Quai 54, tournoi annuel de basket-ball de rue opposant seize des meilleures équipes de streetball du monde, concourant toutes pour le trophée du championnat Quai 54.

Pour fêter l’événement, Jordan Brand lança l’Air Jordan I édition limitée ainsi que des modèles Jordan Element dans le cadre de la collection Ruff N Tuff.

L’Air Jordan I se composait d’une tige en cuir bleu laser plissé avec un Swoosh et des lacets noirs et une semelle intermédiaire blanche mouchetée de noir. Parmi les autres détails, on remarquait une couture blanche contrastante, une étiquette de languette spéciale Quai 54 et une doublure imprimé sauvage. Le motif de la doublure apparaissait aussi sous la semelle extérieure transparente.

INFORMATIONS

ÉDITION
Ruff N Tuff
Quai 54

ANNÉE DE SORTIE
2009

UTILISATION PREMIÈRE
Basket-ball

TECHNOLOGIE
Air ; point de pivot

INFORMATIONS

ÉDITION
armelo Anthony Player
ÉDITION
ANNÉE DE SORTIE
2004
UTILISATION PREMIÈRE
Basket-ball
TECHNOLOGIE
Air ; point de pivot ; renfort de talon extérieur ; laçage ghillie
PLUS
Carte rétrospective

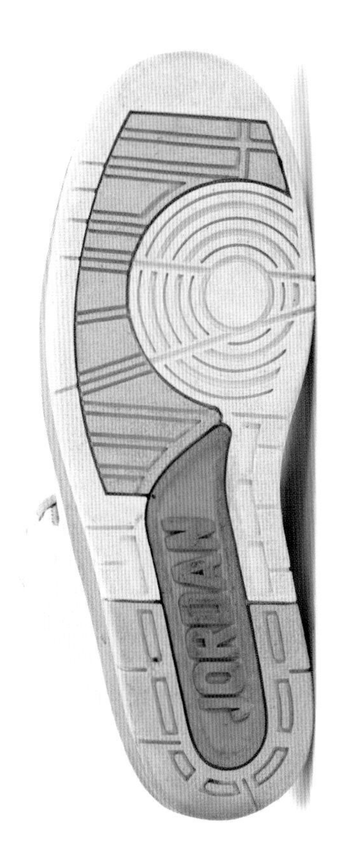

AIR JORDAN II 'CARMELO'

UNE PETITE PÉPITE QUI SE TRANSFORME EN GROS JOYAU

L'Air Jordan II fut la première et la seule Air Jordan à ne pas arborer le *Swoosh* de la marque, chose rare à l'époque. La version basse d'origine fut produite en 1986, suivie par trois éditions de la version haute en 1987 et une autre collection comprenant une version haute et une version basse en 1995.

En 2004, Jordan Brand les ressortit de nouveau, lançant plusieurs versions du modèle au cours de l'année. L'une des plus remarquables fut celle au coloris inspiré des Nuggets de Denver, avec Carmelo Anthony, ambassadeur de la marque Jordan Brand.

Sa tige était composée de cuir grenelé et de fausse peau de lézard, tels que ceux utilisés sur les versions d'origine, demeurant fidèle à l'héritage du modèle. Les paires se vendirent presque immédiatement dans les magasins suffisamment chanceux pour pouvoir les stocker, faisant de ces baskets l'une des éditions d'Air Jordan II les plus prisées.

Une paire noir et bleu Away et une autre blanc / rouge / bleu 2004 Olympic Games furent réalisées sur mesure pour Carmelo ; elles ne furent jamais vendues au grand public.

AIR JORDAN III 'DO THE RIGHT THING'

BUGGIN' OUT POUR LES AIR JORDAN

Nike entretient des liens étroits avec le réalisateur Spike Lee depuis la mémorable série de publicités Air Jordan produites par Weiden+Kennedy et diffusées à la fin des années 1980 et au début des années 1990. Le personnage de Mars Blackmon fut créé pour la série et Lee lui-même l'incarna.

Le film de 1989 de Spike Lee, *Do the Right Thing*, fut à l'origine du concept de cette Jordan III ; le film intéressa particulièrement les passionnés de baskets en raison d'une scène dans laquelle le personnage de Buggin'Out voit ses Air Jordan IV éraflées. Les couleurs de l'affiche du film inspirèrent cette version en édition limitée uniquement sortie aux États-Unis.

La tige en daim bleu vif, rehaussée de détails jaunes et d'un imprimé ciment, fit de ces baskets une édition remarquable et très recherchée.

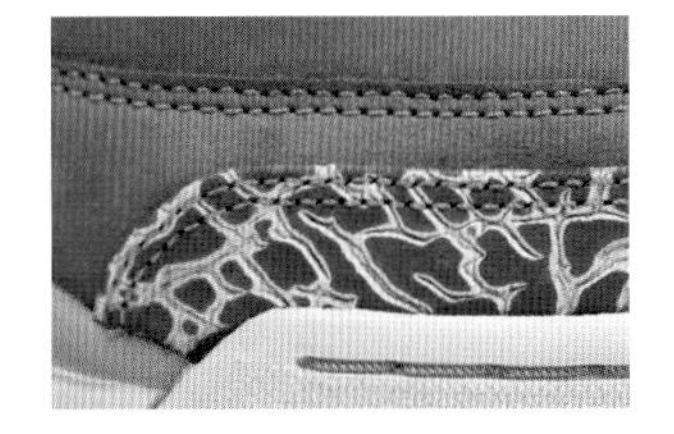

INFORMATIONS

ÉDITION
Do the Right Thing
ANNÉE DE SORTIE
2007
UTILISATION PREMIÈRE
Basket-ball
TECHNOLOGIE
Visible Air ; point de pivot ; renfort de talon extérieur ; laçage ghillie

AIR JORDAN III WHITE 'FLIP'

INFORMATIONS

ÉDITION
Flip
ANNÉE DE SORTIE
2006
UTILISATION PREMIÈRE
Basket-ball
TECHNOLOGIE
Visible Air ; point de pivot ; renfort extérieur de talon ; laçage ghillie

UN CHANGEMENT SALUTAIRE

L'Air Jordan III est l'un des modèles les plus populaires d'Air Jordan et continue à trouver un écho auprès des passionnés d'Air Jordan du monde entier aujourd'hui.

Ce fut la première Air Jordan à posséder une unité visible air, un imprimé ciment et le logo Jumpman. Elle fut notamment rendue célèbre par l'All-Star Week-end de Chicago, en 1988, au cours duquel Michael Jordan s'élança depuis la ligne de jet franc pour défendre son titre de champion face à Dominique Wilkins et remporter le concours Slam Dunk contest avec les Air Jordan III aux pieds.

En 2006, la marque Jordan souhaitait faire bouger un peu les choses et décida donc de revisiter l'Air Jordan III originale de 1988, blanche et rehaussée d'un imprimé ciment, en inversant les détails des panneaux, mettant l'accent sur le célèbre imprimé ciment qui décorait généralement la zone des orteils et le talon.

Cette édition eut beaucoup de succès auprès des fans de la marque et constituait une pièce indispensable pour les collections des amateurs de la marque Jordan.

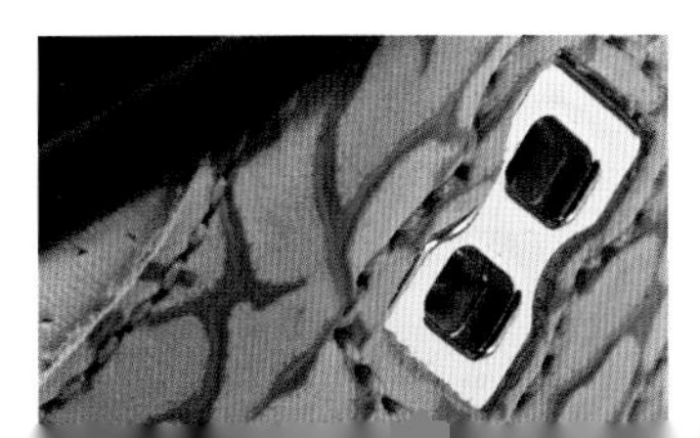

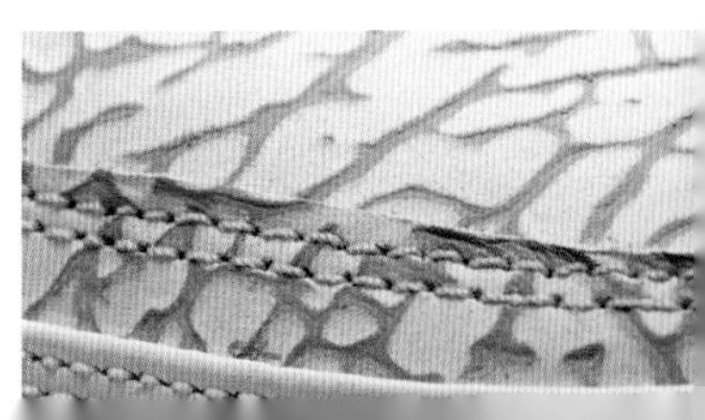

AIR JORDAN IV RETRO RARE AIR 'LASER'

LE TOP DE LA GRAVURE AU LASER

L'Air Jordan IV Rare Air s'inspirait de la version noir / gris ciment de 1989, avec l'ajout d'une tige en cuir gravée au laser, de lacets rouges et d'un panneau arrière en 3M.

Il s'agissait de la deuxième Air Jordan à présenter des détails gravés au laser, l'Air Jordan XX étant la première. Le coloris rouge vif de l'Air Jordan IV de 1989 fut également inclus à la série et présentait la même gravure au laser.

L'Air Jordan IV Retro Rare Air Laser était une édition Quickstrike qui se vendit rapidement dans des comptes choisis de la marque Jordan Brand.

INFORMATIONS

ÉDITION
Rare Air
SÉRIE
Laser
ANNÉE DE SORTIE
2005
UTILISATION PREMIÈRE
Basket-ball
TECHNOLOGIE
Visible Air ; laser ; semelle à chevrons

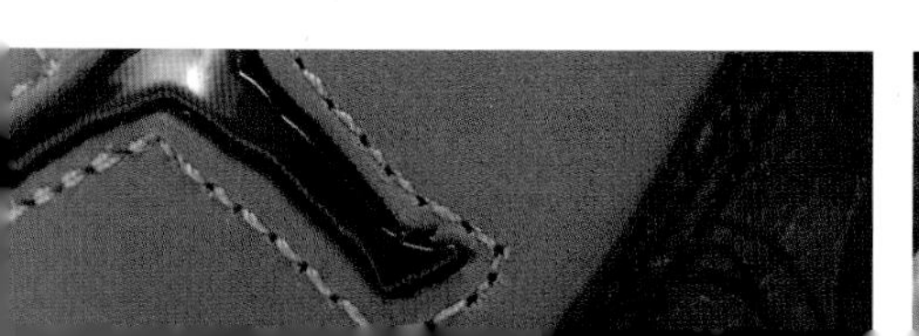

AIR JORDAN IV 'MARS BLACKMON'

LA MARQUE BLACKMON FAIT TOUTE LA DIFFÉRENCE

Bien connu des fans de la marque Jordan Brand, Spike Lee, alias Mars Blackmon (nom de son personnage de Brooklyn dans le film *She's Gotta Have It* de 1986), apparaissait dans plusieurs publicités de Nike, dont une pour les Air Jordan IV de 1989.

En raison de la très grande popularité du coloris rouge vif d'origine de 1989 et du succès de la version gravée au laser de la Rare Air, sortie en 2005, Jordan Brand proposa une version avec la marque Mars Blackmon au niveau de la cheville en 2006. Cette édition se voulait la plus fidèle possible à la version d'origine, à l'exception du logo Jumpman qui remplaça la marque Nike Air sur le talon, du dessus et des œillets inférieurs en TPU et, bien évidemment, du logo Mars Blackmon gravé au laser.

INFORMATIONS

ÉDITION
Mars Blackmon
ANNÉE DE SORTIE
2006
UTILISATION PREMIÈRE
Basket-ball
TECHNOLOGIE
Visible Air ; laser

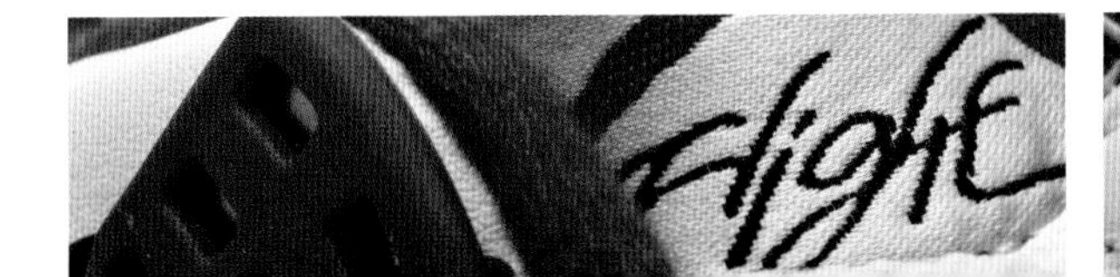

AIR JORDAN V RETRO RARE AIR 'LASER'

INFORMATIONS

ÉDITION
Rare Air

SÉRIE
Laser

ANNÉE DE SORTIE
2007

UTILISATION PREMIÈRE
Basket-ball

TECHNOLOGIE
Visible Air ; laser ;
semelle à chevrons ;
haut de tige rembourré

PLUS
Carte rétrospective

BIEN VISÉ

Jordan Brand tira les conséquences du succès immédiat de l'Air Jordan IV Rare Air Laser et décida de continuer avec le concept laser, ajoutant l'Air Jordan V à la série.

Les motifs au laser extrêmement complexes ressortaient sur une tige blanche, tandis que la semelle intermédiaire orange vif et des dents de requin vertes mouchetées de paillettes métalliques accompagnaient la languette en 3M décorée d'un Jumpman orange.

La doublure intérieure représentait aussi des motifs détaillés issus de différentes Air Jordan dans la même combinaison de couleurs orange / vert olive, complétant le concept et le modèle.

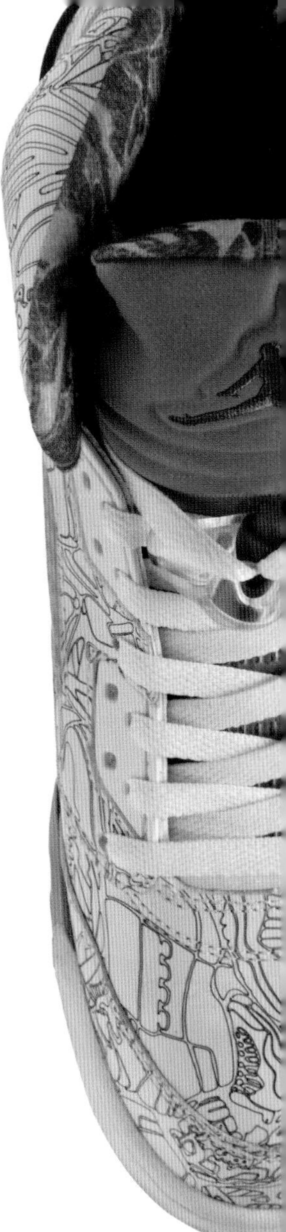

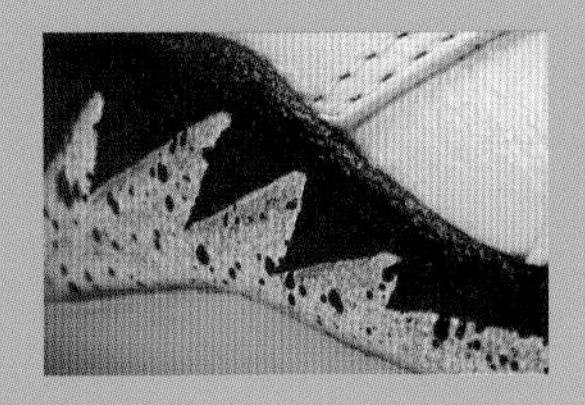

AIR JORDAN V RETRO 'QUAI 54'

HORS COMPÉTITION

Le Quai 54 est un tournoi de basket de rue français sponsorisé par la marque Jordan Brand, qui a célébré cet événement annuel à Paris en lançant une édition limitée des Air Jordan.

De nombreux modèles d'Air Jordan ont été revisités par le Quai 54 au fil des ans, dont les Air Jordan I (page 162), IV, IX et Team ISO 2, certains modèles n'ayant jamais connu de sortie publique.

Ces Air Jordan V se distinguaient par un coloris simple mais mémorable. La tige en cuir poli était rehaussée d'accents noirs et verts et la marque Quai 54 figurait sur le panneau du talon, assortie à la semelle intermédiaire noire et à la semelle extérieure verte translucide. Ces baskets furent exclusivement mises en vente chez Footlocker Europe et dans les magasins House Of Hoops, et proposées dans un tirage au sort par le magasin Nike d'Harajuku, Japon.

Une version noir et vert, limitée à cinquante-quatre paires, fut aussi produite pour les amis et la famille.

INFORMATIONS

ÉDITION
Quai 54
ANNÉE DE SORTIE
2011
UTILISATION PREMIÈRE
Basket-ball
TECHNOLOGIE
Visible Air ; semelle à chevrons ; haut de tige rembourré

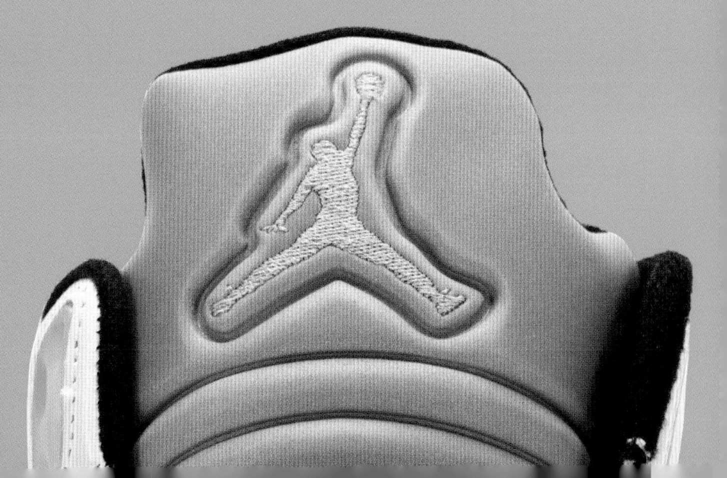

AIR JORDAN V
'GREEN BEANS'

INFORMATIONS

ÉDITION
Green Beans
ANNÉE DE SORTIE
2006
UTILISATION PREMIÈRE
Basket-ball
TECHNOLOGIE
Visible Air ; semelle à chevrons ; haut de tige rembourré

LES GREEN BEANS : CELLES QU'IL VOUS FAUT

Lorsque Tinker Hatfield conçut à l'origine les Air Jordan V, il s'inspira des avions de combat Mustang de la Seconde Guerre mondiale pour faire référence au style de jeu de Michael Jordan – en particulier la manière dont il viendrait aisément à bout de ses adversaires.

Depuis la création du modèle en 1990, plusieurs rééditions ont été proposées, bien que peu soient aussi mémorables que la Green Bean, pour laquelle le tissu 3M utilisé sur toutes les languettes Air Jordan V fut étendu à l'ensemble de la tige, puis contrasté avec des accents et une bordure verts ; elle devint immédiatement un classique.

AIR JORDAN V T23 'JAPAN ONLY'

UN MODÈLE
« RIEN QUE POUR LE JAPON »

En mai 2011, Jordan Brand et XBS (directeur de la marque de vêtements Nitraid et membre du groupe de hip-hop japonais Nitro Microphone Underground) accueillirent le tournoi de basket-ball Jordan Tokyo 23.

Pour fêter cet événement, Jordan Brand sortit sa première collection de produits exclusivement destinée au Japon ; elle incluait deux tee-shirts, une paire de Jordan CP3 IV et les Air Jordan V T23, en édition extrêmement limitée, tous réalisés en collaboration avec XBS.

Les Air Jordan V T23 se distinguaient par une tige en nubuck à dominance jaune, Tokyo étant brodé en caractères Kanji sur l'extérieur du talon, avec des accents de noir et de gris sur toute la chaussure et des dents mouchetées sur la semelle intermédiaire au-dessus de la semelle extérieure en caoutchouc translucide.

Ce modèle d'Air Jordan est devenu au fil du temps l'un des plus rares et des plus recherchés parmi toutes les Air Jordan jamais produites.

INFORMATIONS

ÉDITION
T23
SÉRIE
Japan Only
ANNÉE DE SORTIE
2011
UTILISATION PREMIÈRE
Basket-ball
TECHNOLOGIE
Visible Air ; semelle à chevrons ; haut de tige rembourré

AIR JORDAN I
'WINGS FOR THE FUTURE' x DAVE WHITE

UN AMOUR QUI DATE

En 2011, l'artiste britannique Dave White et Jordan Brand décidèrent de revisiter ensemble l'Air Jordan I pour le NBA All-Star Weekend. Cette édition extrêmement limitée se distinguait par un motif d'étoiles et de rayures autour des panneaux, ainsi qu'un motif or s'étendant de l'empeigne en cuir au panneau latéral effet éclaboussure signé Dave. Seules vingt-trois paires furent produites, en référence au numéro du joueur Michael Jordan et Sole Collector accueillit une vente aux enchères en ligne pour cette édition, toutes les recettes étant reversées à l'association caritative Wings for the Future.

Un an plus tard, le duo proposa une autre version du modèle à un public impatient, entraînant des queues de centaines de milliers de personnes pour acheter une paire de ces fameuses baskets. Le motif avant-gardiste se distinguait surtout par la disparition du *Swoosh* de la tige.

De nombreuses versions test furent produites avant l'édition finale, White faisant son choix parmi une sélection de matériaux et de couleurs, dont plusieurs grains de cuir, du nubuck, du 3M, des *Swoosh* amovibles et la marque « bubble wing » sur le panneau de la cheville.

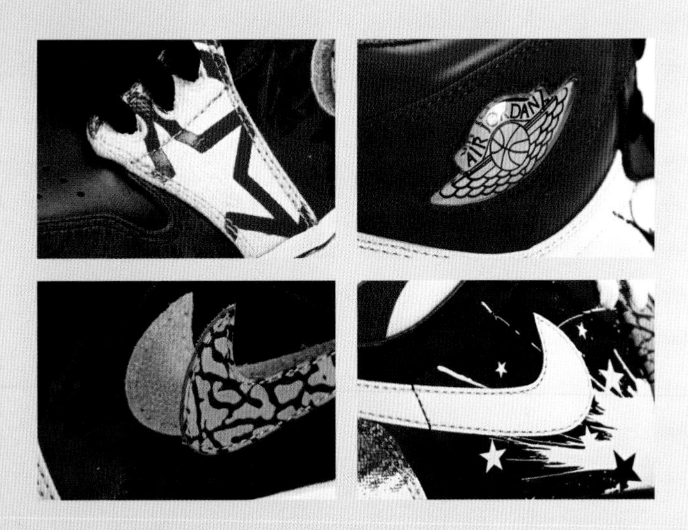

INFORMATIONS

ÉDITION
Dave White
ANNÉE DE SORTIE
2011/2012
UTILISATION PREMIÈRE
Basket-ball
TECHNOLOGIE
Air ; point de pivot
PLUS
Boîte spéciale

PUMA

La marque au *Formstripe* fut créée en 1948 à Herzogenaurach, Allemagne, par Rudolf Dassler, à la suite d'une âpre querelle avec son frère, Adi Dassler, qui fonda de son côté Adidas.

Au fil des ans, Puma s'est positionné comme l'un des leaders mondiaux dans le domaine des chaussures et des vêtements de sport, à la fois dédiés à la vie quotidienne et aux performances sportives.

Les baskets Puma sont aux pieds de l'homme le plus rapide du monde, Usain Bolt, et la marque fait aussi partie intégrante de la culture hip-hop et breakdance depuis ces trois dernières années. Des modèles dédiés au basket-ball, comme les Puma Clyde, les States et les Suede, sont aujourd'hui devenus à juste titre des emblèmes du style.

Le positionnement de Puma en tant que point de contact culturel pour toute une série de sous-cultures urbaines lui a permis de demeurer dans l'œil du public et joue un rôle essentiel dans la culture de la chaussure de sport.

Puma a aussi reconnu rapidement le potentiel du marché pour les éditions limitées et fut rapide à ouvrir ses archives, donnant

des résultats impressionnants à court terme. Des partenariats évidents, tels que la collaboration *YO! MTV Raps* (pages 178-179), qui rendait hommage au hip-hop, ont été un succès parallèlement à des histoires plus orientées baskets, telles que la série Clyde x Undefeated Snakeskin (page 181) qui connut un immense succès. Des éditions telles que la Suede Classic x Shinzo Usain Bolt (page 182) mettent également en évidence la manière dont la marque est préparée à combiner style de vie et histoires de performance d'une manière très efficace.

Le haut de gamme The List comprend maintenant les éditions les plus limitées de Puma.

PUMA STATES x SOLEBOX

INFORMATIONS

ÉDITION
Solebox
SÉRIE
Snakeskin States
ANNÉE DE SORTIE
2013
UTILISATION PREMIÈRE
Basket-ball
PLUS
Bijou de lacet ; pochette en cuir à lacet

DÉTAILS DERNIER CRI

Dans le cadre des célébrations de son 10e anniversaire, le magasin berlinois Solebox présenta son fort partenariat avec Puma en éditant trois paires de Puma States exclusives.

Se fondant sur sa première collaboration avec Puma – les Clyde en 2007 –, Solebox utilisa des éléments similaires, dont une tige en daim et des détails en peau de serpent sur le logo *Formstripe*.

Parmi les autres détails, on remarquait l'étiquette de la languette arborant les noms des deux marques, un bijou et des extrémités de lacet Solebox, ainsi qu'une pochette en cuir munie d'un lacet (également trouvée dans la série Shadow Society illustrée page 185) avec une étiquette mentionnant les deux marques.

Chaque version fut limitée à cent paires et uniquement vendue *via* Solebox, à la fois en magasin et en ligne.

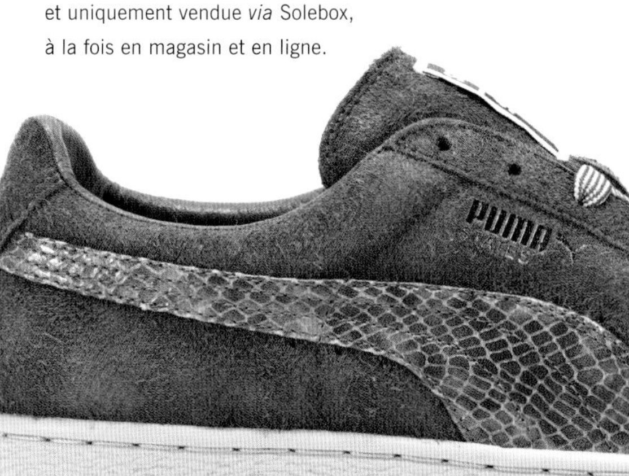

PUMA CLYDE x MITA SNEAKERS

L'ARGENT ROI

Walt « Clyde » Frazier dominait les terrains en parquet dans les années 1970 et est considéré comme l'un des cinquante plus grands joueurs de la NBA dans l'histoire du basket-ball. Rien d'étonnant à ce qu'il possède ainsi sa propre basket, la Puma Clyde.

Lorsque le magasin de Tokyo Mita Sneakers collabora avec Puma, il souhaitait faire honneur au statut de Clyde et réagir par rapport à la société orientée argent dans laquelle nous vivons aujourd'hui. Un imprimé numérique brillant de qualité supérieure représentant des billets de 1 000 $ avec le visage de Clyde à la place de celui du président, recouvrait toute la tige, bordée de peau de porc noir souple.

Seules cinq cent cinquante-huit paires furent fabriquées et vendues dans dix-huit boutiques de baskets choisies dans le monde entier.

INFORMATIONS

ÉDITION
Mita Sneakers
ANNÉE DE SORTIE
2007
UTILISATION PREMIÈRE
Basket-ball
PLUS
Lacets de rechange

A JOURNEY BACK IN RHYME

Yo! MTV Raps était une émission de hip-hop des années 1990 présentée par des gens comme Dr Dre, Ed Lover et Fab 5 Freddy ; en 2006, Puma rendit hommage à ce programme culte qui n'était plus diffusé depuis 1995 en utilisant le modèle de baskets favori du hip-hop, les Clyde. La tige imprimée reflétait l'identité graphique du programme et le logo Yo! figurait sur la languette, le talon et la semelle intérieure. Ces chaussures Forever Fresh incarnaient un mélange entre la musique et l'histoire de cette basket et étaient accompagnées d'un CD intitulé *A Journey Back in Rhyme* et d'un lot de cartes de collection *Yo! MTV Raps*. Seules deux cent vingt-cinq paires de cette version rose furent commercialisées dans des magasins choisis.

PUMA CLYDE x YO! MTV RAPS

INFORMATIONS

ÉDITION
Yo! MTV Raps
ANNÉE DE SORTIE
2006
UTILISATION PREMIÈRE
Basket-ball
PLUS
Cartes de collection ; CD *A Journey Back in Rhyme*

PUMA CLYDE
x YO! MTV RAPS (PROMO)

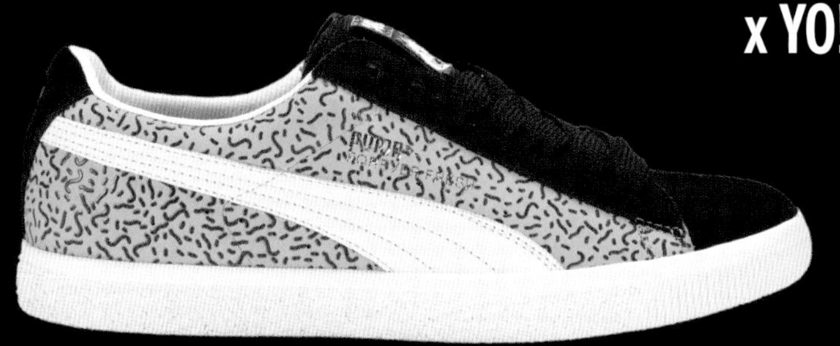

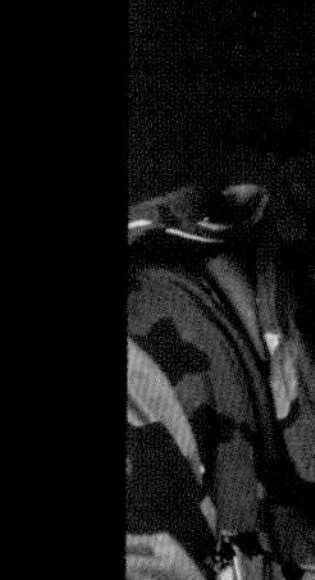

UN SYMBOLE DU VÉRITABLE HIP-HOP

La marque Yo! MTV Raps consistait en une multitude d'imprimés néon vifs qui rappelaient la mode de la fin des années 1980 et du début des années 1990. Les imprimés qui décoraient les cartes de collection *Yo! MTV Raps* inspirèrent le motif des deux modèles Puma Clyde, rose et citron vert, sortis en 2006 pour rendre hommage à l'émission.

La version citron vert était une édition promotionnelle accompagnée de lacets citron vert et, tout comme la version rose, d'un CD et de cartes de collection. Avec cinquante paires seulement fabriquées, distribuées aux amis et à la famille ainsi qu'à un chanceux vainqueur d'un concours, cette Clyde est un modèle très recherché.

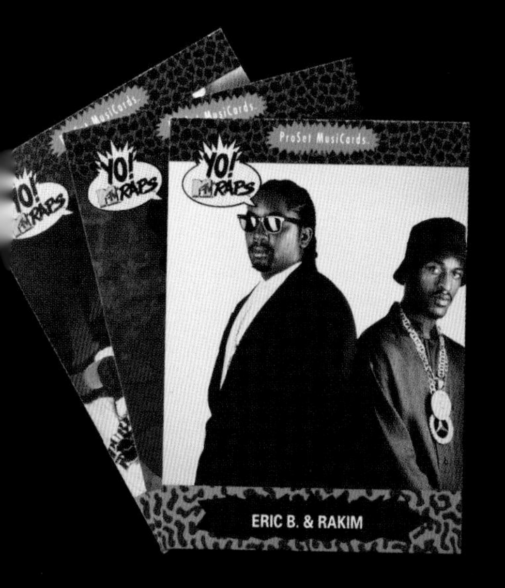

INFORMATIONS

ÉDITION
Promo

SÉRIE
Yo! MTV Raps

ANNÉE DE SORTIE
2006

UTILISATION PREMIÈRE
Basket-ball

PLUS
Lacets de rechange ; cartes de collection ; CD *A Journey Back in Rhyme*

PUMA CLYDE x UNDEFEATED 'GAMETIME'

MÉDAILLE D'OR

Dans le cadre de leur collaboration, la marque de streetwear Undefeated et Puma créèrent en 2012 une série de Clyde commercialisée sous le nom de collection Gametime.

Elles se distinguaient par un Clyde doré métallique 24k qui rendait hommage à l'équipe américaine de basket-ball qui remporta la médaille d'or aux jeux Olympiques de Londres en 2012.

Cette version se composait d'une tige en cuir perforé doré, avec la marque en rouge, blanc, bleu sur l'étiquette de la languette et le tirant du talon, un bijou de lacet Undefeated et une semelle intérieure en cuir avec les noms des deux marques.

Ces baskets furent uniquement vendues en nombre limité dans les magasins Undefeated.

INFORMATIONS

ÉDITION
Undefeated
SÉRIE
Gametime
ANNÉE DE SORTIE
2012
UTILISATION PREMIÈRE
Basket-ball

PUMA CLYDE x UNDEFEATED ‘SNAKESKIN’

COMPLÈTEMENT FOU

Portées par Walt « Clyde » Frazier sur le terrain et en dehors à partir de 1973, les Clyde sont demeurées populaires pendant plus de quarante ans, avec l’aide de b-boys, joueurs de basket de rue, artistes graffeurs et fanatiques de Puma du monde entier.

Cette série de Clyde Snakeskin fut la première d’un grand nombre d’éditions remarquables proposées par Puma et Undefeated en 2012.

La série se composait de Clyde en cuir supérieur dans trois combinaisons de couleurs classiques, rehaussées du logo *Formstripe* en luxueuse peau de serpent noir, l’étiquette de la languette arborant les noms des deux marques. Une version exclusivement réservée à la promotion, couleur turquoise, fut également produite en neuf exemplaires seulement. On pouvait se les procurer au magasin Puma du centre commercial Boxpark, à Shoreditch, Londres.

INFORMATIONS

ÉDITION
Undefeated
SÉRIE
Snakeskin
ANNÉE DE SORTIE
2012
UTILISATION PREMIÈRE
Basket-ball

PUMA SUEDE CLASSIC
x SHINZO 'USAIN BOLT'

INFORMATIONS

ÉDITION
Usain Bolt
SÉRIE
Shinzo'
ANNÉE DE SORTIE
2011
UTILISATION PREMIÈRE
Basket-ball
PLUS
Sac

RECORD ÉCOLOGIQUE

La relation entre Puma et l'homme actuellement le plus rapide du monde, Usain Bolt, commença avec le record du monde établi par Bolt, à l'âge de 16 ans, aux Championnats du monde jeunes de 2003.

L'année 2011 fut remarquable pour Bolt : il remporta neuf des dix courses dans lesquelles il concourrait, établissant de nouveaux records du monde et devenant célèbre. En l'honneur de ses succès, Puma et le magasin parisien Shinzo s'associèrent pour créer une collection en édition limitée dédiée au coureur jamaïcain, avec une série composée d'une Puma Suede et deux Puma Mids.

Chaque modèle se composait d'un daim respectueux de l'environnement doublé d'une toile de coton biologique, d'une semelle intérieure en liège, de mousse recyclée et d'une semelle extérieure en caoutchouc reconstitué. Le daim était rehaussé de détails, tels que le logo d'Usain Bolt représentant une tête de lion sur l'étiquette de la languette, « Shinzo » remplaçant la marque habituelle « Suede », et un logo *Formstripe* peint.

Chaque paire était également accompagnée d'un sac sur mesure, avec les noms des deux marques et une liste des matériaux utilisés. Cette série fut vendue *via* Shinzo et certains revendeurs Puma.

PUMA SUEDE CYCLE x MITA SNEAKERS

CYCLISTE NOCTURNE

En 2013, le magasin japonais Mita Sneakers s'associa avec Puma pour collaborer sur un nouveau modèle. Le concept de la Puma Suede Cycle, comme son nom l'indique, était fondé sur l'idée de créer la chaussure de cyclisme parfaite pour parcourir les rues animées de Tokyo la nuit.

Des lumières LED stroboscopiques au niveau des deux talons assuraient que le cycliste soit clairement vu par les autres usagers de la route et un cache-lacets permettait de les garder bien en place afin qu'ils ne gênent pas le cycliste.

Les deux versions basses, noire et marron, conservaient les lignes classiques de la Puma Suede et étaient fabriquées dans un cuir de qualité avec une semelle en gomme (sur l'illustration, un des premiers modèles avec une semelle en gomme blanche). Le motif du grillage caractéristique de Mita apparaissait sur les semelles intérieures avec le logo Puma et le tirant du talon arborait les couleurs de l'UCI (Union cycliste internationale).

INFORMATIONS

ÉDITION
Échantillon non commercialisé

SÉRIE
Mita Sneakers

ANNÉE DE SORTIE
2013

UTILISATION PREMIÈRE
Cyclisme

TECHNOLOGIE
Cache-lacets / languette recouvrante ; lumière LED

PUMA R698
x CLASSIC KICKS

LE TIERCÉ GAGNANT

En 2011, Puma travailla avec le magasin new-yorkais Classic Kicks afin de collaborer sur trois versions de l'emblématique Puma R698. Chacune des versions se distinguait par une languette en Néoprène et était accompagnée d'une housse d'ordinateur portable assortie.

Une histoire se cache derrière chaque combinaison de couleurs de la série. La version verte s'inspirait du modèle Adidas Race Walk qui figurait dans le livre de Neal Heard, *Trainers*, publié en 2003. Elle était fidèle au modèle de course d'origine, composé de nubuck, de mesh avec une sous-couche en 3M et des panneaux en 3M sur la tige.

La version gris clair s'inspirait d'un ancien bracelet d'amitié que l'un des membres de l'équipe Classic Kicks portait lorsqu'il était enfant, tandis que la dernière couleur de la série faisait référence aux United Arrows New Balance 997 et Blaze of Glory de *Sneaker Freaker*, en 2008.

La série fut disponible chez des revendeurs choisis du monde entier, la version verte étant limitée à deux cents paires.

INFORMATIONS

ÉDITION
The List
SÉRIE
Classic Kicks
ANNÉE DE SORTIE
2011
UTILISATION PREMIÈRE
Course
TECHNOLOGIE
Trinomic
PLUS
Housse d'ordinateur portable

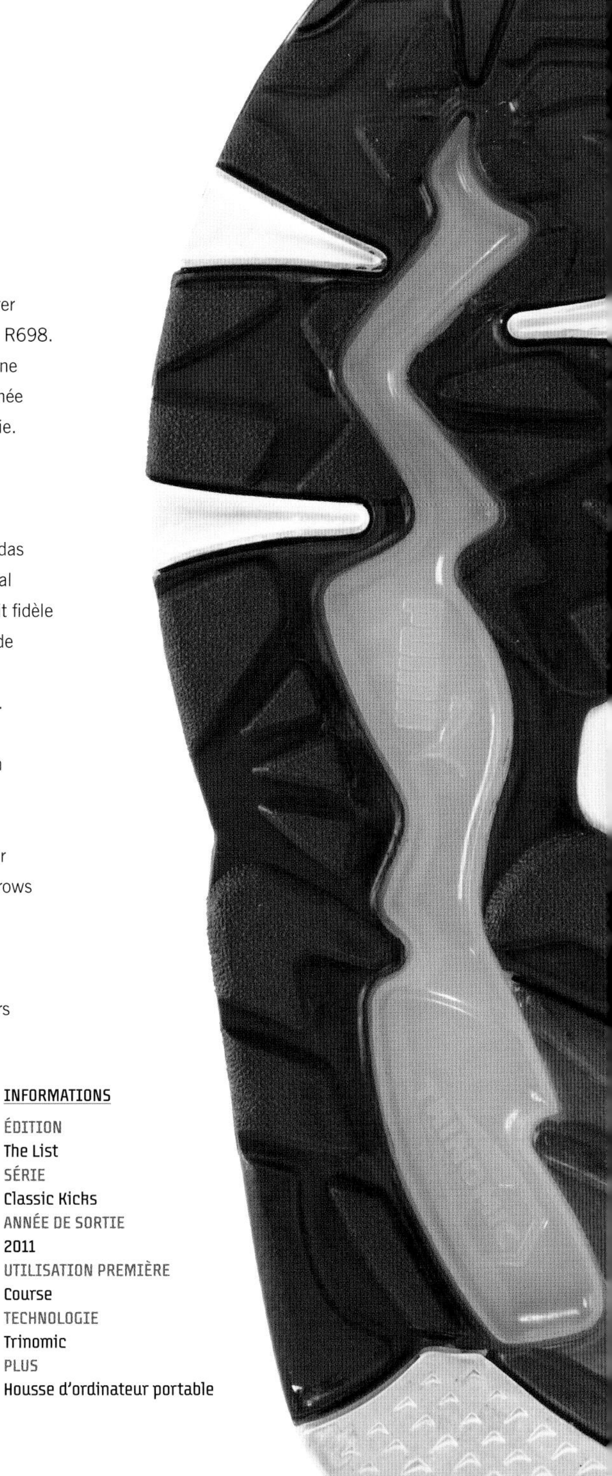

PUMA
x SHADOW SOCIETY

LA SOCIÉTÉ SECRÈTE DE PUMA

En 2011, la Shadow Society, un groupe secret d'amateurs de Puma, fut autorisée à gérer sa propre gamme au sein de Puma pour créer une basket de qualité supérieure et des collections de vêtements.

La première collection incluait trois séries de Puma State, sorties peu de temps l'une après l'autre. Toutes se distinguaient par une tige en daim peau de porc et une doublure en cuir avec une marque gravée au laser à l'arrière et étaient accompagnées d'une pochette avec un lacet en cuir contenant des lacets de rechange.

La première série contenait les coloris turquoise et gris, la deuxième les coloris noir, fuchsia et vert et la troisième des States doublées de Gore-Tex, en violet et en rouge.

Un an plus tard, la Shadow Society sortit également deux versions de la Trinomic R698 et une version modernisée des chaussures d'entraînement extérieur 1982 ZDC82.

INFORMATIONS

ÉDITION
The List
SÉRIE
Shadow Society
ANNÉE DE SORTIE
2011/2012
UTILISATION PREMIÈRE
Basket-ball ; course
TECHNOLOGIE
Trinomic
PLUS
Lacets dans une pochette en cuir

PUMA DISC BLAZE OG
x RONNIE FIEG

RONNIE REVISITE LA DISC BLAZE OG

En 2012, Ronnie Fieg, new-yorkais propriétaire de KITH, établit sa première collaboration avec Puma, revisitant la Disc Blaze OG.

Le coloris bleu turquoise – que l'on voit ici sur une paire d'ASICS Gel-Lyte III lancée par Fieg en 2010 – fut choisi pour recouvrir toute la tige en nubuck, avec un disque et une attache noirs contrastants. Parmi les détails de la chaussure, on remarquait un logo *Formstripe* réfléchissant, du cuir sur les panneaux avant et latéraux de la chaussure, la marque RF sur la languette, le talon et la semelle intérieure et le logo Just Us de KITH sur le tirant du talon en cuir et la semelle intermédiaire.

KITH commercialisa une boîte sur mesure numérotée – une première pour Puma – se distinguant par du papier d'emballage décoré de croquis du processus de conception pour les deux cents premiers clients en magasin, avec cent paires attribuées à chaque magasin KITH de Manhattan et Brooklyn. D'autres versions emballées dans des boîtes « normales » furent également proposées dans des magasins minutieusement choisis du monde entier et se vendirent immédiatement.

INFORMATIONS

ÉDITION
Ronnie Fieg
ANNÉE DE SORTIE
2012
UTILISATION PREMIÈRE
Course
TECHNOLOGIE
Trinomic ; Disc
PLUS
Boîte sur mesure en édition limitée ; papier d'emballage personnalisé

PUMA DISC BLAZE LTWT x BEAMS

INFORMATIONS

ÉDITION
Beams
PACK
35th Anniversary
ANNÉE DE SORTIE
2011
UTILISATION PREMIÈRE
Course
TECHNOLOGIE
Faas 500 BioRide ; EcoOrthoLite ; Disc ; KMS Lite ; EverTrack ; EverRide
PLUS
Sac en soie ; lacets de rechange

BEAMS FÊTE SON ANNIVERSAIRE AVEC PUMA

Pour fêter son 35e anniversaire, le distributeur japonais Beams s'associa avec Puma pour produire deux versions de la Disc Blaze LTWT.

Le modèle fut fondé sur une semelle Faas 500, avec l'ajout de la technologie Disc Blaze travaillée autour d'une tige en mesh sans couture.

Les deux éditions se distinguaient par des détails subtils, tels que le tirant de languette avec la marque Beams juste au-dessus du Disc et la marque Beams 35 sur la semelle intermédiaire.

INFORMATIONS

ÉDITION
Sneaker Freaker Bunyip
ANNÉE DE SORTIE
2012
UTILISATION PREMIÈRE
Basket-ball
PLUS
Lacets de rechange ; tissu imprimé

PUMA DALLAS 'BUNYIP' LO x SNEAKER FREAKER

LA CRÉATURE MYTHIQUE PREND VIE

Inspirés par le bunyip, une grosse créature mythique issue de la mythologie aborigène australienne, Puma et le magazine *Sneaker Freaker* s'associèrent pour donner vie à ce monstre, libérant le bunyip dans le monde.

Sneaker Freaker apporta quelques modifications au modèle Puma Dallas, limitant les caractéristiques de performance et adoptant une approche plus qualitative et discrète ; le modèle se distinguait par une tige en daim de chèvre et une doublure en cuir naturel sur une semelle intermédiaire en cuir et une semelle en crêpe.

La marque Dallas fut changée en Bunyip, la marque *Sneaker Freaker* étant cousue sur l'envers de la languette et la marque mythique sur la semelle intérieure en cuir.

INFORMATIONS

ÉDITION
Hypebeast
SÉRIE
Dim Sum Project
ANNÉE DE SORTIE
2013
UTILISATION PREMIÈRE
Course
TECHNOLOGIE
Trinomic ; Faas 300
BioRide ; laçage ghillie
PLUS
Grand sac

PUMA BLAZE OF GLORY x HYPEBEAST

DES BASKETS DIM SUM

Le blog de streetwear Hypebeast, de Hong Kong, est une source bien connue pour les tendances et les évolutions dans les domaines de la mode et de la culture, avec une attention particulière portée aux baskets.

La série Dim Sum Project de Puma reflétait sa ville natale et le développement de plus en plus important de la culture alimentaire à cet endroit. S'inspirant des Har Gow et Siu Mai, deux mets délicats dim sum généralement commandés ensemble, Hypebeast choisit de travailler sur des chaussures complémentaires : la Blaze of Glory originale, le modèle de course de Puma du début des années 1990, et la Blaze of Glory LTWT, évoluée et ultralégère.

Le Siu Mai est une boulette à base de porc entourée de pâte jaune ; la chaussure fut ainsi pourvue d'une tige jaune composée de daims et de cuirs souples, l'intérieur du mets étant plutôt représenté le long de la semelle.

D'apparence délicate, les boulettes Har Gow ont une enveloppe translucide et une farce à base de crevette ; d'où les deux couches très légères de la Blaze of Glory LTWT et le coloris assorti.

L'histoire de Reebok est longue et haute en couleur. À l'origine largement fondée sur la course, l'histoire de la société a évolué tout comme ses baskets pour englober bien plus.

Reebok devint la marque la plus associée à l'engouement pour les exercices physiques dans les années 1980, ainsi que le premier choix en matière de chaussures de sport pour femmes, générant des revenus considérables, surtout aux États-Unis. La société Reebok possédait ainsi les ressources nécessaires pour investir dans la recherche et le développement, ce qu'elle fit avec beaucoup de succès dans les années 1980 et 1990 en introduisant plusieurs technologies révolutionnaires pour les baskets, dont Pump, Hexalite et DMX, encore employées aujourd'hui. La technologie Pump fut utilisée sur la première chaussure de basket-ball Reebok de Shaquille O'Neal et a donné lieu depuis à d'innombrables collaborations avec des marques de streetwear du monde entier, d'Alife (page 198) à Solebox (page 201).

En 1996, Allen Iverson, meilleur débutant de l'année (« rookie of the year »), sortit plusieurs modèles Questions and Answers, deux des chaussures de basket-ball Reebok ayant connu le plus de succès. Le Question Mid fut célébrée dix ans après sa sortie par Undefeated (page 200). Reebok fit également preuve de flair en convaincant

en 2003 la star du rap Jay-Z de concevoir sa propre basket S. Carter (présentée dans le premier tome de l'ouvrage). Même si elle ne connut finalement pas le succès escompté, elle fut le précurseur de la tendance aux collaborations avec des stars du hip-hop et des vêtements de sport, qui continue à se renforcer dans toute l'industrie. Reebok poursuivit avec succès en collaborant avec Pharrell Williams et Nigo de A Bathing Ape pour la collection Ice Cream (page 197), mélange de culture pop aux couleurs vives et de haut de gamme. Voici quelques-uns des nombreux collaborateurs ayant revisité le nombre impressionnant de baskets de la marque.

INFORMATIONS

ÉDITION
Mita Sneakers
SÉRIE
30th Anniversary
ANNÉE DE SORTIE
2013
UTILISATION PREMIÈRE
Course
TECHNOLOGIE
Semelle intermédiaire EVA

REEBOK CLASSIC LEATHER x MITA SNEAKERS

30 ANS DE CUIR CLASSIQUE

Commercialisée en 1983, la Reebok Classic Leather fut l'une des premières baskets à privilégier la décontraction à la performance. La semelle intermédiaire amovible en mousse PU moulée offrait un amorti supplémentaire tandis que le cuir souple de la tige apportait à la fois du confort et du style.

Cette version 30e anniversaire produite en collaboration avec Mita Sneakers, de Tokyo, se distinguait par une tige en daim supérieur à deux tons de bleu, avec du blanc crème contrastant, des sous-couches en batiste de coton décorées d'étoiles phosphorescentes et une doublure en éponge bouclette.

L'influence de la marque japonaise se remarquait dans la semelle extérieure en gomme, avec le fameux motif grillage et la marque Mita Sneakers sur l'étiquette de la languette, les ferrets des lacets et la semelle intérieure.

REEBOK CLASSIC LEATHER MID STRAP LUX x KEITH HARING

HOMMAGE POSTHUME À UNE LÉGENDE DE L'ART

Le style caractéristique de l'icône de l'art de rue de New York Keith Haring fut appliqué à cette basket plus de vingt ans après sa disparition prématurée en 1990. Haring était connu pour ses lignes audacieuses, ses couleurs vives et ses personnages actifs, tous caractérisant cette chaussure.

Fondées sur l'œuvre d'art d'Haring, Barking Dogs (Chiens aboyant), ces baskets mi-montantes se distinguaient par une décoration représentant un « Barking Dog » sur les bandes Velcro, le pied droit semblant aboyer au pied gauche et, inversement, avec des couleurs non assorties, bleu et jaune.

La Keith Haring Foundation créa une collection capsule fondée sur les œuvres d'art de Haring, chacune ayant été représentée sur différents modèles Reebok.

INFORMATIONS

ÉDITION
Barking Dogs
SÉRIE
Keith Haring
ANNÉE DE SORTIE
2013
UTILISATION PREMIÈRE
Course
TECHNOLOGIE
Semelle intermédiaire EVA

REEBOK WORKOUT PLUS '25TH ANNIVERSARY' ÉDITIONS

25 ANS DE CRÉATION

À l'origine conçue comme une chaussure multisports en 1984, la Workout de Reebok fut légèrement transformée en 1987, avec l'ajout d'un panneau sur l'avant-pied, et renommée Workout Plus. Pour le 25e anniversaire de cette dernière en 2012, Reebok chargea quinze magasins de développer une chaussure unique utilisant le concept de *workout*.

Patta déconstruisit le concept d'exercice, choisissant de se concentrer sur la vitesse et l'agilité d'un lièvre, par opposition à la tortue, ce qui l'amena à proposer une tige poilue.

Footpatrol s'inspira de sa ville d'origine, Londres, et plus particulièrement de la météo et du paysage urbain en béton, mais on peut aussi remarquer une touche de jaune sur le logo de la languette – symbole de l'espoir des Londoniens lorsque le soleil daigne faire son apparition.

Quant à Mita, son choix de matériaux fut entièrement guidé par l'aspect fonctionnel mais, comme d'habitude, le style fut mis en avant. Le fort aspect « vêtements de travail » se traduisit par une tige en toile de canevas robuste, une semelle extérieure en gomme, une doublure en laine rayée et des lacets de bottes de motard.

INFORMATIONS

SÉRIE
Workout 25th Anniversary

ANNÉE DE SORTIE
2012

UTILISATION PREMIÈRE
Fitness

TECHNOLOGIE
Épaisse semelle moulée

PLUS
Blouson d'université ; livre relié

REEBOK INSTA PUMP FURY x MITA SNEAKERS

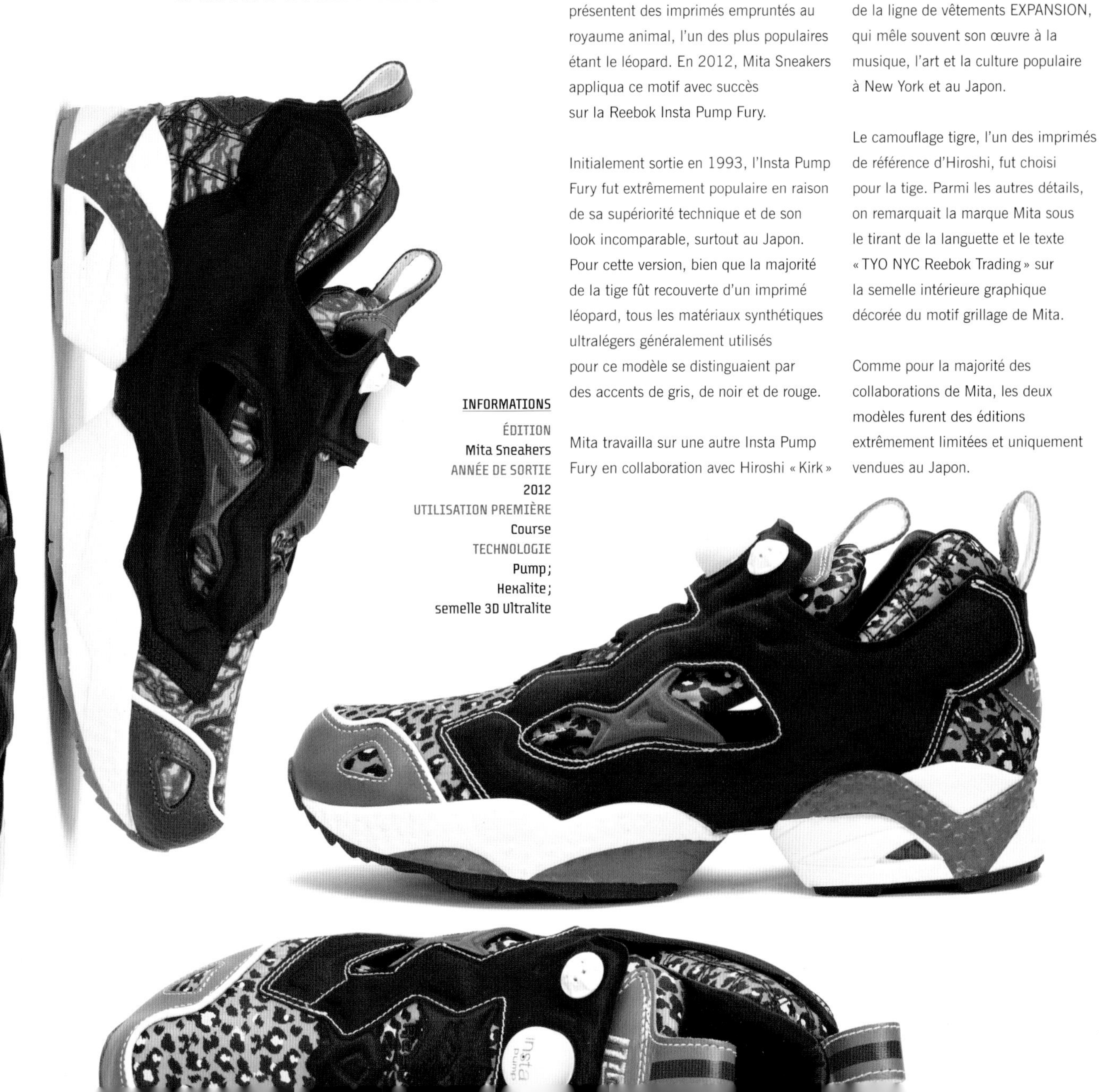

INFORMATIONS

ÉDITION
Mita Sneakers
ANNÉE DE SORTIE
2012
UTILISATION PREMIÈRE
Course
TECHNOLOGIE
Pump ;
Hexalite ;
semelle 3D Ultralite

EFFET SAUVAGE

Certaines baskets en édition limitée présentent des imprimés empruntés au royaume animal, l'un des plus populaires étant le léopard. En 2012, Mita Sneakers appliqua ce motif avec succès sur la Reebok Insta Pump Fury.

Initialement sortie en 1993, l'Insta Pump Fury fut extrêmement populaire en raison de sa supériorité technique et de son look incomparable, surtout au Japon. Pour cette version, bien que la majorité de la tige fût recouverte d'un imprimé léopard, tous les matériaux synthétiques ultralégers généralement utilisés pour ce modèle se distinguaient par des accents de gris, de noir et de rouge.

Mita travailla sur une autre Insta Pump Fury en collaboration avec Hiroshi « Kirk » Kakiage, créateur et fondateur de la ligne de vêtements EXPANSION, qui mêle souvent son œuvre à la musique, l'art et la culture populaire à New York et au Japon.

Le camouflage tigre, l'un des imprimés de référence d'Hiroshi, fut choisi pour la tige. Parmi les autres détails, on remarquait la marque Mita sous le tirant de la languette et le texte « TYO NYC Reebok Trading » sur la semelle intérieure graphique décorée du motif grillage de Mita.

Comme pour la majorité des collaborations de Mita, les deux modèles furent des éditions extrêmement limitées et uniquement vendues au Japon.

INFORMATIONS

ÉDITION
CLUCT x Mita Sneakers
ANNÉE DE SORTIE
2009
UTILISATION PREMIÈRE
Basket-ball
TECHNOLOGIE
Semelle intermédiaire EVA

REEBOK EX-O-FIT x CLUCT x MITA SNEAKERS

LA COULEUR ET LA TEXTURE S'ALLIENT POUR DONNER UNE CHAUSSURE CHIC

Depuis 2008, CLUCT produit des vêtements qui associent un parfum américain à la finesse européenne. En 2009, la marque s'associa avec Mita Sneakers et Reebok afin de créer sa propre version de l'Ex-O-Fit Strap Hi.

Peu après la création de l'Ex-O-Fit Strap Hi, plusieurs collaborateurs ajoutèrent leurs propres touches au modèle, dont Atmos et Mita Sneakers.

Pour cette version, le concept fut atténué pour montrer que la subtilité et les détails étudiés peuvent être tout aussi efficaces qu'un motif audacieux et vif. La tige à dominante noire se distingue par de la fausse peau de crocodile sur le haut du talon, avec une bande jaune divisant la partie cheville et les mots « Clutch & Fact » (formant ensemble le nom CLUCT) brodés sur le talon, le tout surmontant une semelle blanche.

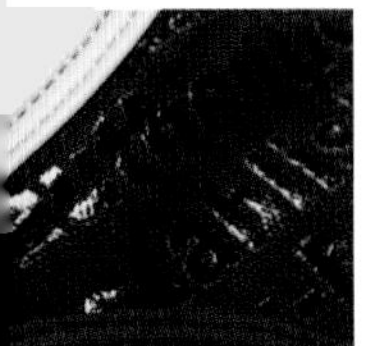

REEBOK ICE CREAM LOW x BILLIONAIRE BOYS CLUB

CHICS ET RAFFINÉES

À l'origine issues d'une collaboration entre Pharrell Williams et Nigo, fondateur de A Bathing Ape, les marques Billionaire Boys Club (BBC) et Ice Cream devaient être des marques sœurs de l'entreprise fructueuse A Bathing Ape. Alors que BBC était uniquement dédiée aux vêtements, la marque Ice Cream se distinguait également par une collection de baskets Reebok. Le premier modèle lancé fut l'Ice Cream Low alias Boutique, en raison de ses quantités limitées et du fait qu'il n'était disponible que dans des boutiques choisies.

La marque BBC de Pharrell est à l'origine de la version flamboyante de l'Ice Cream illustrée ici, dont seules cent soixante-dix paires individuellement numérotées furent fabriquées et vendues, exclusivement dans le magasin Busy Workshop de A Bathing Ape, à New York. Elle se distinguait par son aspect raffiné avec un cuir argenté et des dollars et des diamants imprimés en bleu marine sur la tige. Le rouge de la semelle extérieure et du haut du talon formait un contraste avec l'ensemble.

INFORMATIONS

ÉDITION
Billionaire Boys Club
ANNÉE DE SORTIE
2005
UTILISATION PREMIÈRE
Quotidienne
PLUS
Boîte sur mesure

REEBOK COURT FORCE VICTORY PUMP x ALIFE 'THE BALL OUT'

JEU AMOUREUX

Après la Court Force Victory Pump verte Tennis Ball d'origine, issue d'une collaboration avec Reebok en 2006, Alife proposa un deuxième modèle et deux coloris supplémentaires dans le courant de la même année.

La nouvelle version se déclinait en deux coloris, orange et blanc, et présentait une tige en feutre balle de tennis.

Les deux modèles furent commercialisés en édition limitée, se vendirent rapidement et demeurent très recherchés.

Une année plus tard, Alife sortit deux autres couleurs – rose et noir – proposées en un nombre légèrement supérieur d'exemplaires ; les précédentes versions avaient été exclusivement commercialisées dans des magasins Alife.

INFORMATIONS

ÉDITION
Alife
SÉRIE
The Ball Out
ANNÉE DE SORTIE
2006
UTILISATION PREMIÈRE
Tennis
TECHNOLOGIE
Pump
PLUS
Lacets de rechange

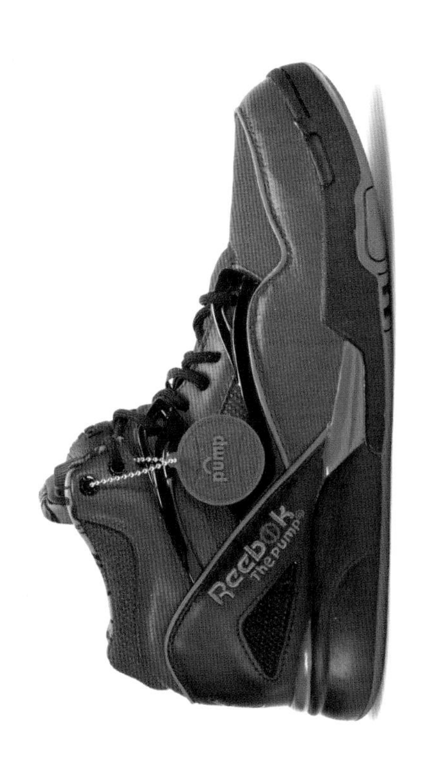

REEBOK PUMP OMNI LITE x 'MARVEL' DEADPOOL

INFORMATIONS

ÉDITION
Deadpool
SÉRIE
Marvel
ANNÉE DE SORTIE
2012
UTILISATION PREMIÈRE
Basket-ball
TECHNOLOGIE
Pump; Hexalite

BASKETS POUR SUPER-HÉROS

En 2012, pour faire suite aux éditions populaires issues de ses collaborations Captain America et Wolverine avec Reebok, Marvel lança la Reebok Pump Omni Lite Deadpool, inspirée par le personnage de BD mercenaire X-Force.

Le coloris noir et rouge du modèle faisait référence au costume de Deadpool, tandis que deux épées en adamantium – son arme préférée – apparaissaient croisées sur le talon. Parmi les autres détails, on remarquait la marque en rouge, noir et gris, sans oublier une représentation de Deadpool en pleine attaque sur les deux semelles intérieures.

REEBOK QUESTION MID x UNDEFEATED

DE NOUVELLES QUESTIONS

Reebok signa un contrat de dix ans avec le joueur de basket-ball Allen Iverson en 1996, année de ses débuts, et sa chaussure, la Question, finit par devenir l'un des modèles de Reebok les plus vendus de tous les temps.

L'année 2006 marqua le 10e anniversaire de la signature de ce contrat et, pour célébrer cet événement, Undefeated imagina sa propre version multicolore, se distinguant par un IVERSON en lettres géantes près des boucles de lacets, un 96 sur le panneau du talon et une semelle Hexalite orange mouchetée de noir.

Pour le lancement, à Los Angeles, Undefeated plaça des tickets gagnants à l'intérieur de trois boîtes de chaussures. L'heureux gagnant remportait une paire de baskets signée par Allen Iverson, le deuxième, un chapeau signé et le troisième, un ballon de basket signé.

INFORMATIONS

ÉDITION
Undefeated
ANNÉE DE SORTIE
2006
UTILISATION PREMIÈRE
Basket-ball
TECHNOLOGIE
Hexalite ; laçage ghillie

REEBOK PUMP OMNI ZONE LT x SOLEBOX

ÉCLAIRER LE TERRAIN

En 2011, le magasin de baskets Solebox, basé à Berlin, sortit son dernier modèle, issu d'une collaboration avec Reebok : la Pump Omni Zone LT.

Cette version moderne se distinguait par des lumières LED orange sur le panneau latéral extérieur de chaque pied qui pouvaient être allumées en appuyant sur un bouton discrètement placé sur la languette. On remarquait également une batterie dans une petite pochette juste en dessous de l'étiquette de la taille, des détails en 3M sur la languette et la marque Solebox sur la semelle intérieure.

La première édition se vendit si bien que Solebox proposa en 2012 une seconde version pour célébrer son 10e anniversaire, utilisant cette fois des lumières LED vertes. Chaque paire était accompagnée d'un grand sac fluorescent assorti et gratuit.

Limitées à cent paires, les deux couleurs furent exclusivement vendues en magasin et en ligne par Solebox.

INFORMATIONS

ÉDITION
Solebox
ANNÉE DE SORTIE
2011
UTILISATION PREMIÈRE
Basket-ball
TECHNOLOGIE
RS ; Pump ; lumière LED
PLUS
Grand sac fluorescent ; étiquette volante Pump

VANS

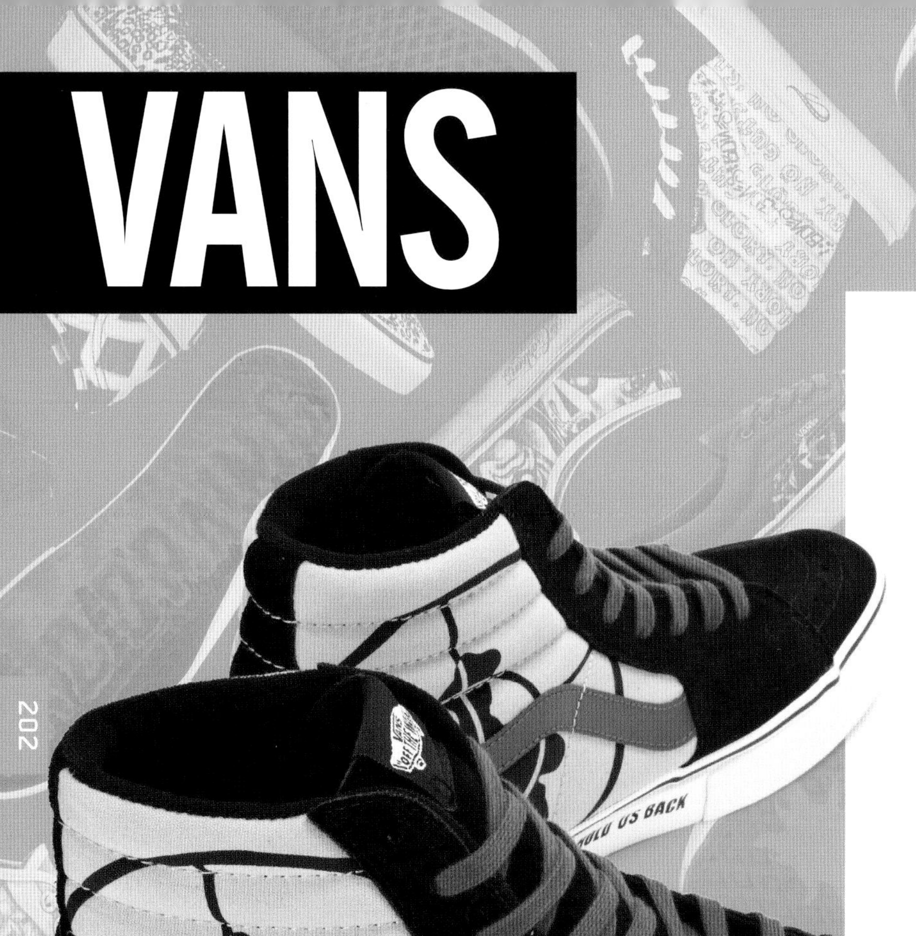

Vans a l'une des histoires les plus riches de toutes les marques de chaussures. De ses débuts modestes en tant que petite entreprise familiale passionnée dans les années 1960 en Californie à sa stature actuelle de société spécialisée dans les sports extrêmes les plus importantes et les plus influentes du monde, elle constitue un excellent exemple du rêve américain devenu mondial.

La marque englobe les mondes du skate, du surf, du BMX, de la neige ainsi que nombre d'autres sports extrêmes, mais c'est peut-être dans le domaine de la musique que Vans a la meilleure emprise. S'insinuant facilement dans toute une série de sous-cultures musicales, Vans est la première marque de baskets à laquelle de nombreux fans de musique s'associeront instantanément. Des collaborations avec des groupes qui remplissent les stades, comme Metallica

et Iron Maiden, parallèlement à des efforts pour cibler d'autres créneaux – comme la collection Bad Brains (pages 216-217) ou le partenariat avec Lupe Fiasco pour la collection OTW – montrent que Vans peut véritablement prétendre représenter toutes les cultures de la musique moderne.

Vans a ainsi atteint toute une série de cultures populaires avec ses modèles faciles à porter et agréables à regarder qui ont servi de toile vierge idéale pour de nombreux collaborateurs portés sur les arts. Du modèle *The Simpsons* (pages 208-209) au magasin de streetwear Supreme (pas moins de cinq modèles de baskets Supreme sont présentés dans les pages suivantes), Vans, plus qu'aucune autre marque, a sans aucun doute été capable de toucher un nombre considérable de consommateurs avec ses collaborations.

La marque s'est plongée dans le monde de la haute couture à travers sa collection en association avec le légendaire créateur américain Marc Jacobs (page 204) et a également accepté que quelques-uns de ses modèles les plus connus soient revisités par le tatoueur de légende de la côte Ouest, Mr Cartoon (page 219) et la marque culte japonaise WTAPS (page 220).

Cette diversité des projets de collaboration résume Vans : c'est la marque de chaussures qui semble vraiment avoir quelque chose à proposer à tout le monde.

INFORMATIONS

ÉDITION
Marc Jacobs
ANNÉE DE SORTIE
2005
UTILISATION PREMIÈRE
Skateboard
TECHNOLOGIE
Semelle vulcanisée ; semelle gaufrée
PLUS
Boîte sur mesure

VANS CLASSIC SLIP-ON LUX x MARC JACOBS

DE LA RUE AUX PODIUMS

Vans s'associa pour la première fois avec la marque de mode haut de gamme Marc Jacobs au printemps 2005, attirant à la fois l'attention des passionnés de baskets et des victimes de la mode.

Marc Jacobs travailla sur une sélection de plusieurs modèles mais appliqua les dessins les plus expérimentaux sur le modèle classique Slip-on.

Cette édition particulière fut inspirée par les motifs de test de la télévision qui indiquaient que le transmetteur fonctionnait mais qu'aucun programme n'était diffusé.

La gamme connut un immense succès et cette édition limitée se vendit rapidement.

VANS CLASSIC SLIP-ON
x CLOT

INFORMATIONS

ÉDITION
CLOT
ANNÉE DE SORTIE
2012
UTILISATION PREMIÈRE
Skateboard
TECHNOLOGIE
Semelle vulcanisée ; semelle gaufrée

TRIBESMEN EN VACANCES

En 2012, Vans s'associa pour la première fois avec la marque de streetwear CLOT basée à Hong Kong pour sortir une collection dédiée aux vacances.

Il tira son inspiration de la collection automne / hiver 2012 de CLOT, Tribesmen, et appliqua des broderies et des couleurs vives à quatre modèles Vans Era et Classic Slip-On.

Les Eras se distinguaient par une tige en toile délavée, une semelle intermédiaire unie assortie, des lacets blancs et des détails Tribesmen sur la languette et le talon.

Le modèle Classic Slip-On (illustré ici) était encore plus influencé par la collection Tribesmen, avec un motif tissé de couleurs vives recouvrant l'avant de la chaussure ainsi que le talon, contrastant avec la semelle intermédiaire claire.

La collection fut lancée en exclusivité une semaine plus tôt dans le magasin de streetwear de CLOT, JUICE, à Hong Kong. Des sorties régionales suivirent, la collection étant également vendue dans d'autres magasins JUICE à travers toute l'Asie.

VANS
VANS
VANS

VANS SYNDICATE x WTAPS

PENTAGRAMMES ET OS

La grande marque japonaise de streetwear WTAPS est largement influencée par les styles skate, punk, militaire et moto et cela se reflétait fortement dans sa première collaboration avec Vans Syndicate, qui portait le nom de Bones and Wings.

La collection de l'automne 2006 comprenait quatre modèles Vans Syndicate : les Sk8-Hi, Chukka et Slip-On faisaient partie de l'édition Bones, tandis que l'édition Wings, sortie plus tard, contenait trois versions de l'Authentic. Les trois modèles Bones se distinguaient par un imprimé « os croisés » sur toute la chaussure, tandis que le Slip-On arborait un pentagramme de style Slayer sur la bande de renfort et autour du col de la chaussure.

Sont illustrés ici des échantillons jamais sortis (représentant le pentagramme en gros sur les trois modèles) et le modèle Slip-On, commercialisé publiquement (au centre).

INFORMATIONS

ÉDITION
WTAPS
SÉRIE
Bones
ANNÉE DE SORTIE
2006
UTILISATION PREMIÈRE
Skateboard
TECHNOLOGIE
Semelle vulcanisée ; semelle gaufrée
PLUS
Boîte Syndicate ; étiquette volante en cuir ; autocollant Syndicate

VANS x THE SIMPSONS

DO THE BARTMAN, UN STYLE ARTISTIQUE

Le *Simpsons Movie* tant attendu sortit finalement en juillet 2007. Pour commémorer l'événement, Vans s'associa à douze artistes différents, chacun d'entre eux travaillant sur un modèle parmi un choix de modèles classiques incluant les Sk8-Hi et Mid, Chukka Boot, Era et Slip-On.

La liste des artistes incluait des célébrités, telles que KAWS, Stash, Mr Cartoon, Futura et Neckface, pour n'en citer que quelques-uns – un hommage à l'influence de longue date de la famille du dessin animé sur de nombreuses sous-cultures.

Chaque basket unique était représentative du style individuel de l'artiste et chaque artiste était également représenté sous la forme d'une caricature de Matt Groening sur une boîte spéciale à tiroir coulissant.

Seules cent paires de chaque style furent produites et distribuées dans dix magasins des États-Unis. La collection complète se vendit instantanément et les chaussures sont maintenant des objets de collection très prisés.

INFORMATIONS

ÉDITION
The Simpsons
SÉRIE
The Simpsons Movie
ANNÉE DE SORTIE
2007
UTILISATION PREMIÈRE
Skateboard
TECHNOLOGIE
Semelle vulcanisée ;
semelle gaufrée
PLUS
Boîte sur mesure

De gauche à droite

Chukka Boot LX x Geoff McFetridge
Slip-On LX x Sam Messer
Chukka Boot LX x Neckface
Slip-On LX x Tony Munoz
Chukka Boot LX x KAWS
Sk8-Mid LX x Futura
Era LX x Gary Panter
Sk8-Hi LX x Taka Hayashi
Slip-On LX x Mr Cartoon
Slip-On LX x David Flores
Sk8-Mid LX x Stash
Sk8-Hi LX x Todd James (REAS)

VANS x KENZO

CALIFORNIA CONNECTION

Après avoir redonné vie à la maison de couture parisienne Kenzo en 2012, les directeurs créatifs de la marque Humberto Leon et Carol Lim (Opening Ceremony) s'associèrent avec Vans.

Pour ses différentes versions sorties sur plusieurs mois, Kenzo appliqua des motifs de sa collection sur les tiges, à commencer par un motif de filet, puis des imprimés floraux et rayés pour la deuxième collection et un papillon de nuit monochrome, des imprimés rayés et marbrés pour la troisième.

Cette dernière toucha le modèle Slip-On, tandis que les deux précédentes avaient uniquement inclus l'Authentic.

La collection fut réalisée en quantités limitées et uniquement distribuée via des partenaires commerciaux choisis, dont Opening Ceremony, Selfridges, Liberty, Colette et I.T à Hong Kong.

INFORMATIONS

ÉDITION
Kenzo
ANNÉE DE SORTIE
2012
UTILISATION PREMIÈRE
Skateboard
TECHNOLOGIE
Semelle vulcanisée ; semelle gaufrée

VANS AUTHENTIC PRO x SUPREME x COMME DES GARÇONS SHIRT

INFORMATIONS

ÉDITION
Supreme x Comme des Garçons SHIRT
ANNÉE DE SORTIE
2012
UTILISATION PREMIÈRE
Skateboard
TECHNOLOGIE
Semelle vulcanisée ; semelle gaufrée

ILS PASSENT AUX CHOSES SÉRIEUSES

Dover Street Market (DSM), boutique phare londonienne de la marque de mode japonaise Comme des Garçons, accueille un grand nombre de marques, du streetwear aux vêtements chics.

Supreme était l'une des marques représentées chez DSM, ce qui explique l'intérêt d'une collaboration entre les deux marques. Pour le printemps/été 2013, elles sortirent une collection de vêtements contenant des chemises à bouton, des casquettes Camp, des vestes à capuche et des tee-shirts.

Après cette collection de vêtements, Supreme travailla également avec Vans sur de nouvelles versions des modèles Authentic et Sk8-Hi.

Les deux modèles se distinguaient par une tige rayée bleu et blanc avec la marque imprimée sur la semelle intérieure.

Cette collection fut uniquement disponible *via* DSM, les espaces de vente Supreme et Comme des Garçons du I.T Beijing Market.

"OFF THE WALL"
Chicago
Dodgers
12
"OFF THE WALL"
12
"OFF THE WALL"
Dodgers

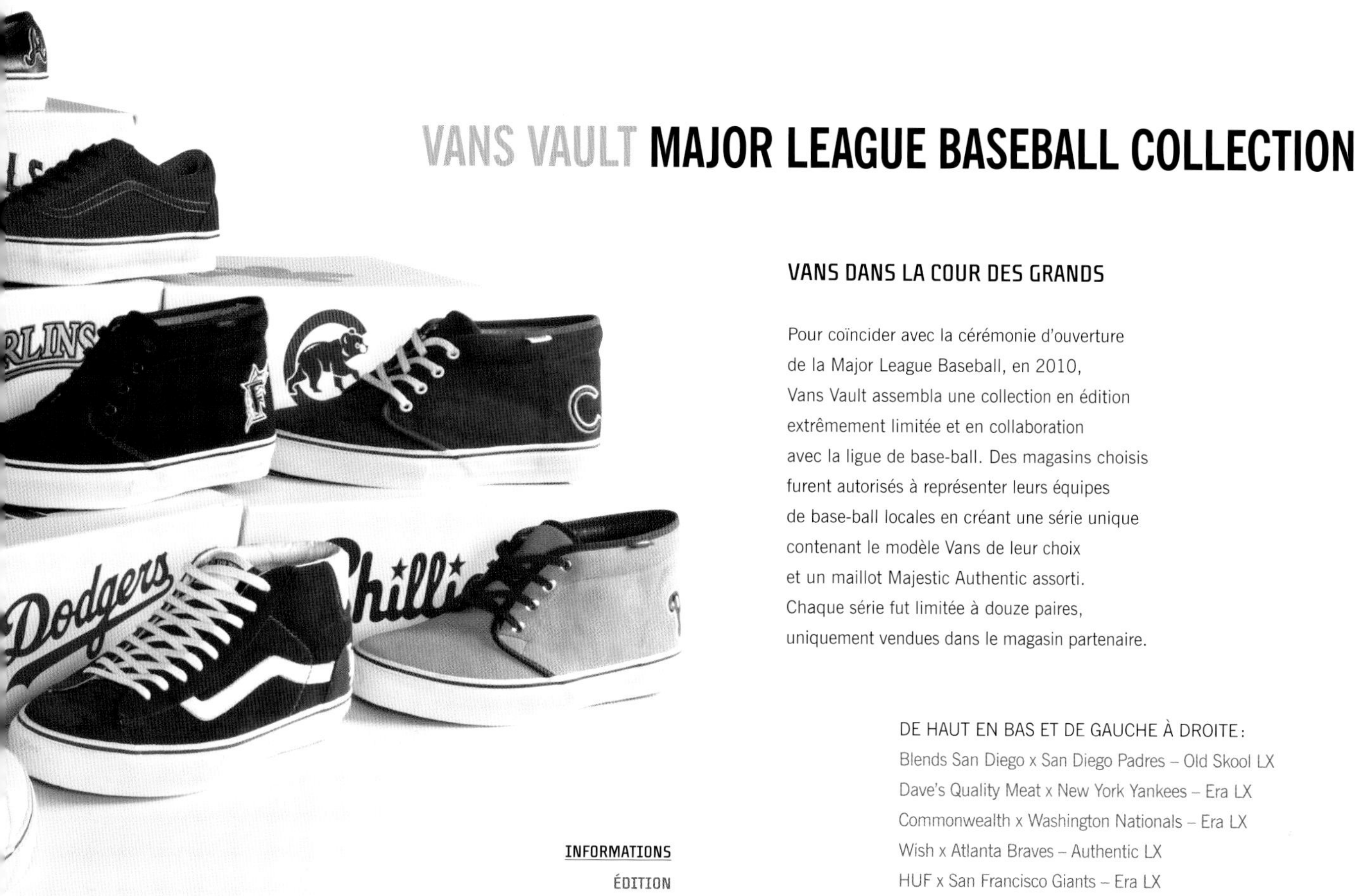

VANS VAULT MAJOR LEAGUE BASEBALL COLLECTION

VANS DANS LA COUR DES GRANDS

Pour coïncider avec la cérémonie d'ouverture de la Major League Baseball, en 2010, Vans Vault assembla une collection en édition extrêmement limitée et en collaboration avec la ligue de base-ball. Des magasins choisis furent autorisés à représenter leurs équipes de base-ball locales en créant une série unique contenant le modèle Vans de leur choix et un maillot Majestic Authentic assorti. Chaque série fut limitée à douze paires, uniquement vendues dans le magasin partenaire.

DE HAUT EN BAS ET DE GAUCHE À DROITE :
Blends San Diego x San Diego Padres – Old Skool LX
Dave's Quality Meat x New York Yankees – Era LX
Commonwealth x Washington Nationals – Era LX
Wish x Atlanta Braves – Authentic LX
HUF x San Francisco Giants – Era LX
Dave's Quality Meat x New York Mets – Era LX
Bodega x Boston Red Sox – Authentic LX
PROPER x Los Angeles Dodgers – 106 LX
Blends x Los Angeles Angels Of Anaheim – Old Skool LX
Saint Alfred x Chicago White Sox – Chukka LX
Bows & Arrows x Oakland Athletics – Chukka LX
C'MON x Baltimore Orioles – Sk8-Hi LX
Shoe Gallery x Florida Marlins – Chukka LX
Saint Alfred x Chicago Cubs – Chukka LX
Conveyer at Fred Segal x Los Angeles Dodgers – Sk8-Hi LX
PROPER x Los Angeles Angels Of Anaheim – Chukka LX
Undefeated x Los Angeles Dodgers – Old Skool LX
Ubiq x Philadelphia Phillies – Chukka LX

INFORMATIONS

ÉDITION
Major League Baseball
SÉRIE
Opening Ceremony
ANNÉE DE SORTIE
2010
UTILISATION PREMIÈRE
Skateboard
TECHNOLOGIE
Semelle vulcanisée ; semelle gaufrée
PLUS
Boîte sur mesure ; maillot Majestic Authentic

VANS AUTHENTIC PRO & HALF CAB PRO x SUPREME 'CAMPBELL'S SOUP'

L'UNION DE DEUX MOTIFS EMBLÉMATIQUES

En 2012, les imprésarios du streetwear tournés vers le skate basés à New York, Supreme, s'inspirèrent du motif pop-art classique Campbell's Soup d'Andy Warhol pour cette collaboration audacieuse avec Vans.

Ce célèbre motif est immédiatement reconnaissable sur les trois modèles, avec un imprimé sur toute la chaussure pour les modèles Authentic et Half Cab (illustré ici) et un imprimé sur le panneau latéral contrastant sur du noir pour la Sk8-Hi. Le choix de ce motif, avec l'utilisation de lettres blanches sur un fond rouge, fait également référence au propre logo emblématique de Supreme.

La collection fut initialement lancée au Japon, avec le tee-shirt Campbell's Soup vendu plus tard dans les magasins Supreme de New York, Los Angeles et Londres, ainsi qu'en ligne. Des tee-shirts avec un imprimé Campbell's Soup et des casquettes en mesh furent également mis en vente en même temps que les baskets.

INFORMATIONS

ÉDITION
Supreme
ANNÉE DE SORTIE
2012
UTILISATION PREMIÈRE
Skateboard
TECHNOLOGIE
Semelle vulcanisée ; semelle gaufrée
PLUS
Lacets de rechange (noirs) ; tee-shirt Campbell's Soup

VANS ERA x COLETTE x COBRASNAKE

INFORMATIONS

ÉDITION
Colette x Cobrasnake
ANNÉE DE SORTIE
2012
UTILISATION PREMIÈRE
Skateboard
TECHNOLOGIE
Semelle vulcanisée ;
semelle gaufrée

UN PEU DE BŒUF ?

En 2012, le célèbre photographe de mode de rue de Los Angeles, Mark Hunter, alias The Cobrasnake, s'associa avec le magasin français Colette pour créer une version unique de la Vans Era.

Dix ans avant la sortie de la chaussure, Hunter était un gros mangeur de hamburgers, mais il finit par changer et devint végétarien. La Cobrasnake rend hommage à son ancienne passion pour les hamburgers.

La tige en toile illustrée décompose les ingrédients de base du cheeseburger américain : pain aux graines de sésame, fromage et viande.

Seules soixante paires furent fabriquées et exclusivement vendues dans le magasin Colette à Paris.

VANS SK8-HI x SUPREME x BAD BRAINS

SKATE ET MUSIQUE PUNK

Les cultures du skateboard et de la musique punk ont toujours été intimement liées ; on comprend ainsi aisément que la marque de streetwear tournée vers le skateboard, Supreme, et le grand groupe punk Bad Brains se soient associés en 2008 pour proposer une collection pour Vans.

Cette collaboration se concentrait sur trois couleurs rastafari, rouge, or et vert, avec un modèle de chaque couleur.

Le titre « Coptic Times », premier morceau de l'album *Rock For Light* de Bad Brains, était inscrit à l'extérieur des deux talons. Supreme sortit également deux tee-shirts et une veste Harrington dans le cadre de cette collection.

Vans suivit avec ses propres collections séparées Bad Brains et Supreme.

INFORMATIONS

ÉDITION
Supreme x Bad Brains
ANNÉE DE SORTIE
2008
UTILISATION PREMIÈRE
Skateboard
TECHNOLOGIE
Semelle vulcanisée ; semelle gaufrée

VANS x BAD BRAINS

STYLES ROCK RASTA

Vans s'associa de nouveau avec Bad Brains au printemps 2009, cette fois pour produire des versions des modèles Sk8-Hi, Chukka et 46 LE.

Les chaussures étaient accompagnées d'une boîte à tiroir coulissant illustrée et d'un grand sac.

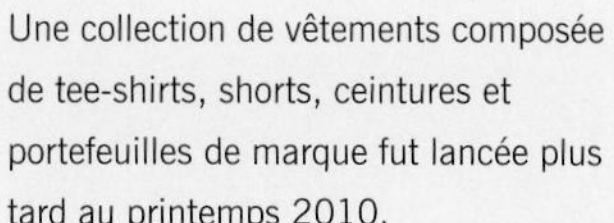

Une collection de vêtements composée de tee-shirts, shorts, ceintures et portefeuilles de marque fut lancée plus tard au printemps 2010.

La collection se distinguait par des illustrations tirées de l'album d'inspiration rastafari de Bad Brains, de leur premier album studio, *Bad Brains*, et de leur album de 2007, *Build a Nation*.

INFORMATIONS

ÉDITION
Bad Brains
ANNÉE DE SORTIE
2009
UTILISATION PREMIÈRE
Skateboard
TECHNOLOGIE
Semelle vulcanisée ; semelle gaufrée
PLUS
Boîte personnalisée ; grand sac

VANS SK8 x SUPREME 'PUBLIC ENEMY'

INFORMATIONS

ÉDITION
Supreme
SÉRIE
Public Enemy
ANNÉE DE SORTIE
2006
UTILISATION PREMIÈRE
Skateboard
TECHNOLOGIE
Semelle vulcanisée ; semelle gaufrée
PLUS
Lacets de rechange

SOUTENIR UN MOUVEMENT À TRAVERS LA MUSIQUE

Chuck D, Flavor Flav, Professor Griff et Terminator X, également connus sous le nom de Public Enemy, ont exprimé leurs opinions politiques à travers le hip-hop de 1982 à aujourd'hui.

Lorsque Supreme, fidèle au style streetwear, commença sa septième collaboration dans le domaine des chaussures avec Vans, il choisit de s'inspirer de ses amis new-yorkais, plaçant le logo inimitable de Public Enemy, un homme au cœur d'un viseur, sur les côtés de deux modèles de Sk8-Hi arborant des coloris classiques de Vans du milieu des années 1990.

It Takes a Nation of Millions to Hold Us Back, titre du deuxième album de Public Enemy, en 1988, fut imprimé sur les semelles intermédiaires. La collection comprenait également des tee-shirts, des sweat-shirts à capuche et des bonnets.

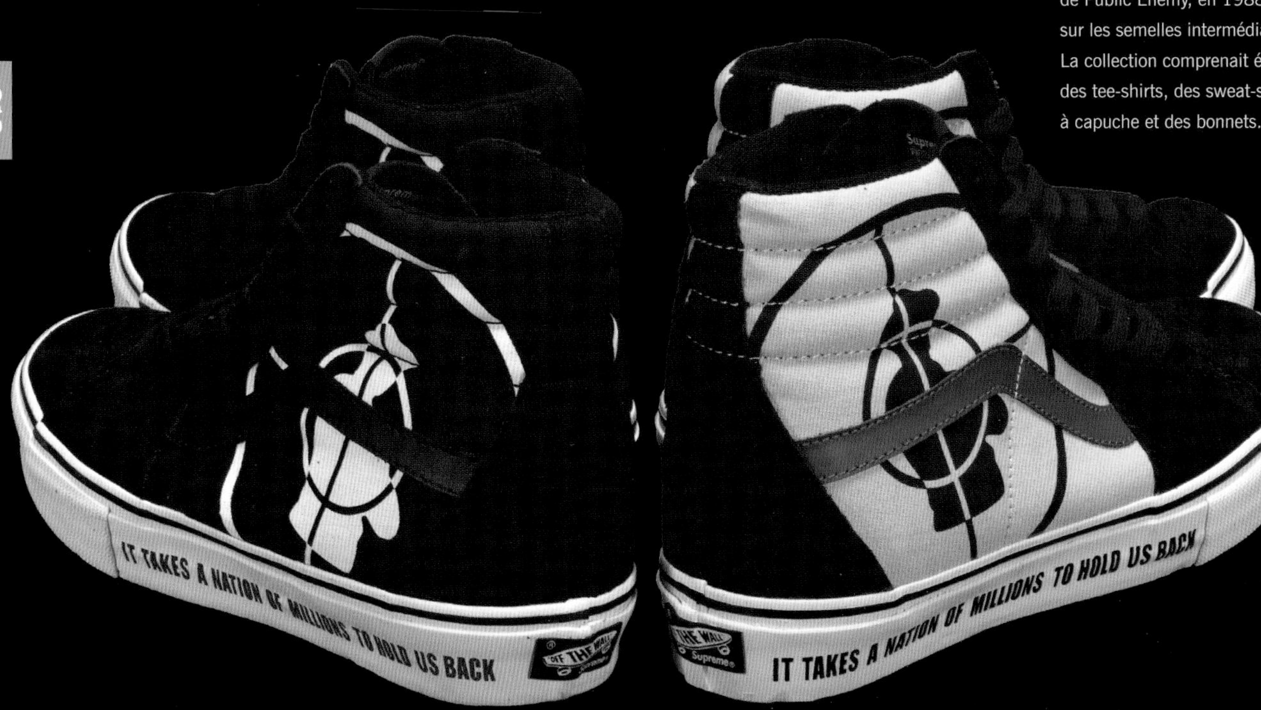

INFORMATIONS

ÉDITION
Syndicate
SÉRIE
Mr Cartoon
ANNÉE DE SORTIE
2005
UTILISATION PREMIÈRE
Shateboard
TECHNOLOGIE
Semelle vulcanisée ; semelle gaufrée

VANS AUTHENTIC SYNDICATE x MR CARTOON

LES CLOWNS À L'HONNEUR

Mr Cartoon est un tatoueur et artiste graffeur originaire de Los Angeles. Avec une liste de clients similaire à un « who's who » de l'industrie du hip-hop et une importante série de collaborations sur des modèles de baskets, il est aujourd'hui à la fois reconnu par les amateurs de chaussures et de tatouage.

Pour son premier projet avec Vans, qui fait également partie de la toute première gamme Syndicate, Mr Cartoon travailla sur le modèle Authentic ; la tige unie du modèle lui permit de laisser libre cours à sa créativité.

La série se déclinait en trois coloris, tous les modèles possédant une tige en toile et jean avec des illustrations de clown sur les panneaux latéraux et le fameux motif d'ange de Mr Cartoon sur la semelle intérieure.

VANS SYNDICATE
x WTAPS NO GUTS NO GLORY SK8-HI

INFORMATIONS

ÉDITION
Syndicate
SÉRIE
WTAPS
ANNÉE DE SORTIE
2007
UTILISATION PREMIÈRE
Skateboard
TECHNOLOGIE
Semelle vulcanisée ;
semelle gaufrée

UNE APPROCHE AUDACIEUSE DE WTAPS

Cette édition Syndicate 2007 n'était pas la première collaboration de Vans avec la marque japonaise de streetwear WTAPS, mais ce fut sans aucun doute la plus audacieuse jusqu'à ce jour. Trois versions des Vans Sk8-Hi furent proposées pour coïncider avec la collection printemps/été de WTAPS, No Guts No Glory.

Une empeigne en daim noir complétait la toile imprimée très chargée et arborant l'inscription « No Guts No Glory ». Un petit logo était également imprimé sur la semelle extérieure de chaque chaussure. Disponible en blanc, vert et orange, cette réinterprétation haut de gamme de la populaire chaussure de skate fut uniquement vendue dans des magasins Syndicate choisis.

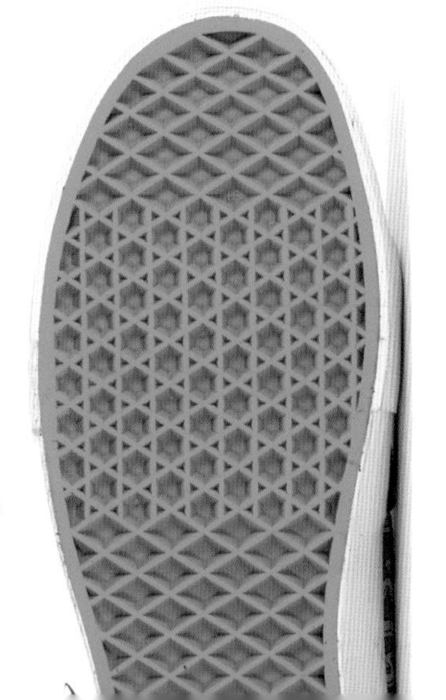

VANS SK8-HI & ERA
x SUPREME
x ARI MARCOPOULOS

L'HÉRITAGE DU SKATEBOARD

Le photographe et réalisateur de films Ari Marcopoulos, né à Amsterdam, vint s'installer à New York en 1979 ; il y travailla avec Andy Warhol, photographiant de nombreux artistes et musiciens, dont les Beastie Boys. En 1994, le magasin Supreme ouvrit ses portes ; Ari s'y rendit souvent, faisant des reportages sur les skaters que Supreme soutenait et s'immergeant lui-même dans cette culture.

En 2006, il s'associa avec Supreme pour créer une collection de vêtements qui incluait un sweat-shirt à capuche et une casquette à cinq panneaux ; ils travaillèrent également tous deux avec Vans pour concevoir une collection de chaussures composée de trois Eras et trois Sk8-Hi. Chaque modèle possédait une tige en toile imprimée illustrée avec des photographies de skateboarders prises par Ari.

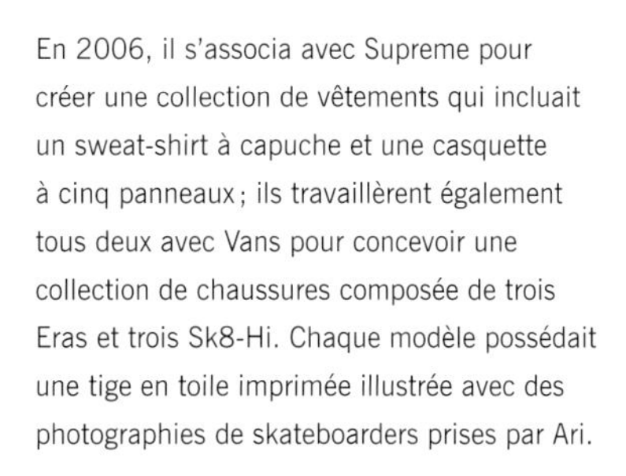

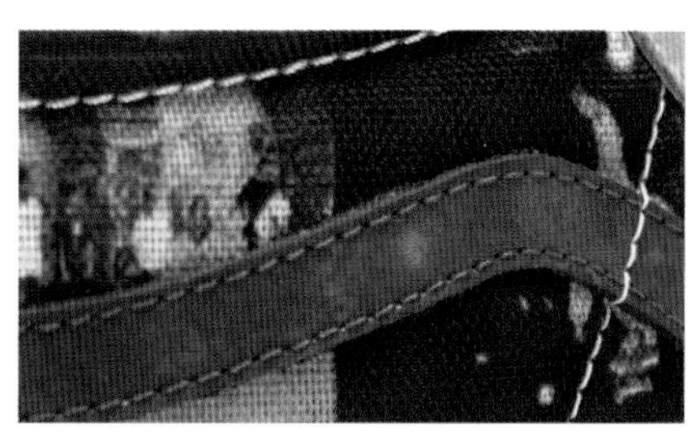

Les deux collections furent exclusivement vendues dans les magasins Supreme de New York et Los Angeles et sont aujourd'hui très recherchées.

INFORMATIONS

ÉDITION
Ari Marcopoulos
SÉRIE
Supreme
ANNÉE DE SORTIE
2006
UTILISATION PREMIÈRE
Skateboard
TECHNOLOGIE
Semelle vulcanisée ; semelle gaufrée

VANS SYNDICATE CHUKKA LO x CIVILIST

INFORMATIONS

ÉDITION
Civilist
ANNÉE DE SORTIE
2011
UTILISATION PREMIÈRE
Skateboard
TECHNOLOGIE
Bellows ; Dri-Lex ; semelle vulcanisée ; semelle gaufrée
PLUS
Boutons de manchettes ; tee-shirt ; grand sac

SKATEWEAR HAUT DE GAMME

En 2011, Vans Syndicate s'associa avec le magasin de skate de Berlin, Civilist, pour produire une version haut de gamme de la Chukka Lo. Les deux fondateurs de Civilist avaient grandi dans le Berlin d'après-guerre, la ville étant alors occupée par les soldats alliés. La Chukka Lo fut choisie en référence à l'histoire troublée de la ville, les soldats britanniques ayant porté des Chukka pendant la guerre.

Pour les matériaux, Civilist puisa son inspiration dans les archives de Syndicate et choisit une doublure absorbante Dri-Lex lining, utilisée en 2008 pour la collection Gabe Morford de Syndicate. On remarquait également la languette à soufflet (Bellows) pour empêcher l'eau d'entrer, les œillets en cuivre (assortis aux présentoirs de magasins de Civilist) et une étiquette de languette en feutre de marque Civilist (référence au passé politique de la ville : le mot « felt » [feutre en français] étant un synonyme de corruption en allemand).

Civilist garda la majorité des quatre-vingt-dix-huit paires qui furent produites, mais en distribua de petites quantités à des magasins choisis.

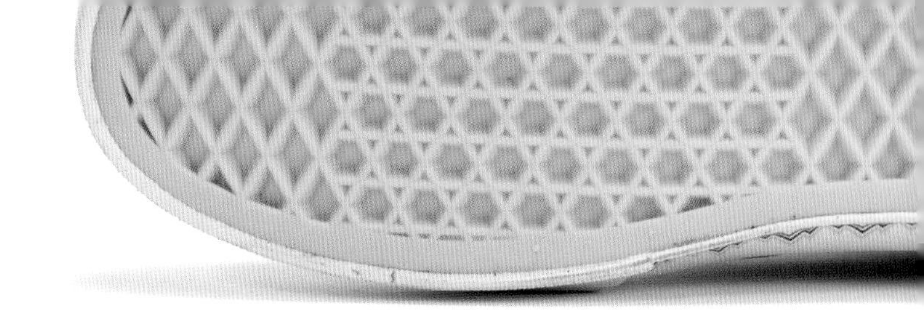

INFORMATIONS

ÉDITION
Alakazam
ANNÉE DE SORTIE
2012
UTILISATION PREMIÈRE
Skateboard
TECHNOLOGIE
Semelle vulcanisée ;
semelle gaufrée

VANS ERA x ALAKAZAM x STÜSSY

OPERATION RADICATION

Le créatif collectif Alakazam, basé à Londres, s'associa avec le pionnier du streetwear, Stüssy, pour créer une collection capsule connue sous le nom d'Operation Radication, de la musique reggae et Dub ayant inspiré les modèles. Alakazam produit des tee-shirts, des imprimés et des livres et crée également des pochettes d'albums pour de nombreux musiciens et DJ du monde entier.

Cette paire d'Era était composée d'une tige en jean noir avec des œillets et un imprimé aux couleurs rastafari sur la semelle intérieure, ainsi que le logo tête de lion de Will Sweeney, fondateur d'Alakazam, sur la languette. Elles furent uniquement vendues dans les magasins Stüssy du Japon et sur Zozotown, site de vente en ligne japonais, tandis que la collection de vêtements fut distribuée *via* tous les magasins en ligne d'Alakazam et de Stüssy.

VANS VAULT ERA LX x BROOKS

COOL AVEC UNE TOUCHE ANGLAISE

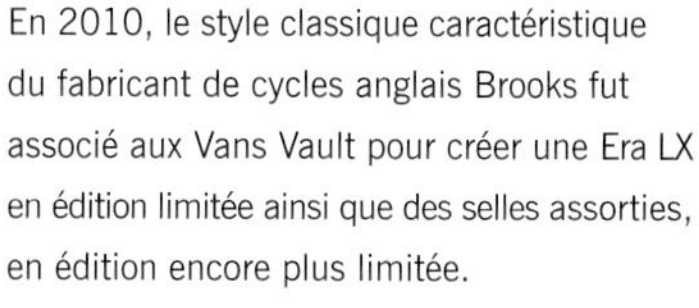

En 2010, le style classique caractéristique du fabricant de cycles anglais Brooks fut associé aux Vans Vault pour créer une Era LX en édition limitée ainsi que des selles assorties, en édition encore plus limitée.

Brooks choisit les meilleurs cuirs pour selle, tandis que les créateurs de Vans conçurent un motif de crâne et de fleur, délicatement appliqué sur la languette de la basket et estampé sur la selle.

La chaussure en cuir noir se distinguait par des œillets en cuivre, des lacets corde en cuir et une étiquette en cuir Vans avec le logo estampé plutôt qu'imprimé. Une semelle améliorée utilisait une plaque Power Transfer placée en dessous de la semelle intérieure rembourrée, renforcée pour plus de fermeté. Chaque chaussure fut individuellement numérotée à la main.

La selle elle-même fut également finie avec des rivets en cuivre et accompagnée d'un kit d'entretien joliment présenté. Quelque deux mille paires de ce modèle furent produites, contre cinq cents exemplaires seulement du kit selle.

INFORMATIONS

ÉDITION
Brooks England
ANNÉE DE SORTIE
2010
UTILISATION PREMIÈRE
Skateboard
TECHNOLOGIE
Semelle Power Transfer ; semelle vulcanisée ; semelle gaufrée
PLUS
Lacets en cuir ; boîte sur mesure ; selle avec kit d'entretien : clé, chiffon et produit pour le cuir

CABALLERO COUPE SES CABS EN DEUX

Même si vous ne vous y connaissez pas en skateboard ou que vous ignorez la culture qui l'entoure, vous avez sans doute entendu parlé du légendaire Steve Caballero.

Vans collabora avec lui en 1988 et produisit sa première chaussure emblématique, la Caballero high-top, un an plus tard.

Au fil des ans, Caballero remarqua que les skaters coupaient souvent le haut de leurs chaussures, les préférant mi-montantes. En 1992, il transmit cette information à Vans qui créa alors la même année la Half Cab.

Pour célébrer le 20e anniversaire de la Half Cab en 2012, Vans sortit une version en édition limitée tous les mois de l'année.

La première rendait hommage à la chaussure par laquelle tout commença, avec vingt Half Calb individuellement numérotées, coupées à la main, bordées de ruban adhésif et signées par Caballero en personne.

Cette chaussure était également produite en collaboration avec Supreme, cinq paires furent ainsi vendues dans ses magasins de Los Angeles, Londres, New York et Harajuku.

INFORMATIONS

ÉDITION
Supreme x Steve Caballero
SÉRIE
20th Anniversary
ANNÉE DE SORTIE
2012
UTILISATION PREMIÈRE
Skateboard
TECHNOLOGIE
Semelle vulcanisée ; semelle gaufrée
PLUS
Boîte signée

SANS OUBLIER...

En dehors du cœur de grandes marques de l'industrie des baskets, il existe une multitude de sociétés plus petites qui produisent des chaussures de sport en concurrence avec les entreprises mieux établies. Elles possèdent souvent une grande influence culturelle et suscitent l'intérêt d'un grand nombre de fans de baskets. Les éditions limitées les plus célèbres de plusieurs de ces plus petites marques sont présentées dans les pages suivantes.

A Bathing Ape (BAPE) est la marque japonaise culte fondée par l'imprésario du streetwear Nigo en 1993. La gamme se composait à l'origine de vêtements en édition limitée mais elle fut plus tard étendue pour inclure des chaussures de loisirs, les plus célèbres étant les BAPESTA qui rendaient hommage au modèle Nike Air Force 1. La BAPESTA est un modèle populaire pour des collaborations depuis sa création.

PONY est une marque qui est sortie du terrain de basket pour créer une gamme loisirs qui séduit un public fidèle. Elle a souvent été perçue comme une marque quelque peu centrée sur New York, mais nombreux sont ceux qui ne savent pas que PONY signifie « Product of New York ». Cet héritage se traduit dans la collaboration de la société avec des personnalités new-yorkaises, telles que le photographe Ricky Powell et les créateurs de mode Dee & Ricky.

PRO-Keds, créé par Keds en 1949, également de New York, possède un important héritage de basket-ball avec une division loisirs de plus en plus influente. Son modèle classique, le Royal, est au cœur des collaborations en raison de sa tige élégante.

Saucony est une société de chaussures de sport américaine avec une riche histoire qui se concentre essentiellement sur les modèles dédiés aux courses automobiles, à la course à pied et à la marche. Elle a également connu un renouveau grâce à la volonté de la marque de travailler sur toute une gamme de baskets de loisirs, à la fois pour des projets en édition limitée et des collaborations.

La légende Lacoste est née en 1933 en France. La marque se concentrait à l'origine sur la production de son polo de tennis aujourd'hui célèbre, arborant le logo crocodile si souvent copié. Mais son riche héritage et son association avec de nombreuses sous-cultures différentes à travers son histoire lui ont permis

de demeurer aujourd'hui encore un choix intéressant pour les collaborations. Les essais de la société dans le domaine des chaussures de sport ont généralement été bien accueillis.

La France possède une forte tradition de fabrication d'articles de sport, Le Coq Sportif étant un autre exemple. Créée en 1882, cette marque jouit d'un héritage important dans le domaine du football qui constitue aujourd'hui encore une part de son identité.

Pour compléter ce trio de marques européennes, on trouve FILA, qui bénéficie également d'un pedigree exceptionnel remontant jusqu'en Italie vers 1911. Spécialisée dans les chaussures et vêtements de sport, FILA a également été très bien représentée dans toute une série de collaborations au cours de ces dernières années.

LACOSTE MISSOURI x KIDROBOT

JEU, SET ET MATCH

La collection Kidrobot de 2007 pour Lacoste comprenait trois modèles : le Missouri, le Revan 2 et le Revan 3. Chacun d'entre eux se composait d'un mélange de matériaux de qualité supérieure pour la tige avec des illustrations inspirées par le jouet de Kidrobot et des lignes de vêtements.

Le Missouri avec une tige essentiellement en daim et 3M gris, avec une empeigne en cuir perforé blanc et le motif Bones de Kidrobot sur la languette et le panneau du talon. On pouvait également voir les Bones sur la ligne de vêtements de Kidrobot de la même saison, ainsi que sur certains de ses jouets Labbit.

Les fondateurs de Kidrobot, Paul Budnitz et Chad Phillips, souhaitaient satisfaire le marché des collectionneurs, limitant chaque version à cinq cents paires dans le monde et incluant un personnage PEECOL assorti ; en regardant de plus près, vous pouvez apercevoir une balle de tennis dans la poche de PEECOL.

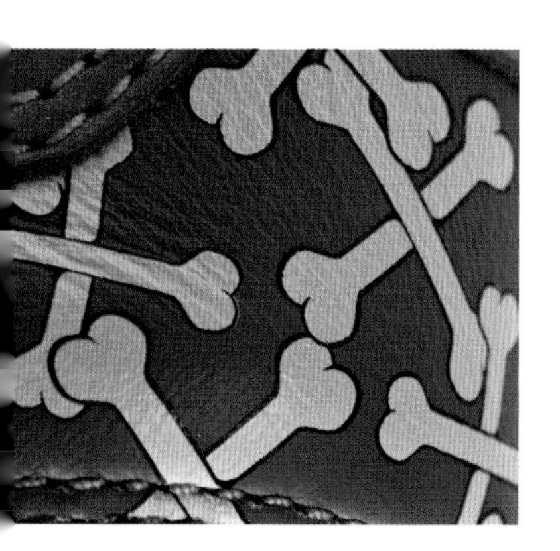

INFORMATIONS

ÉDITION
Kidrobot
ANNÉE DE SORTIE
2007
UTILISATION PREMIÈRE
Tennis
TECHNOLOGIE
Point de pivot ; attache d'avant-pied
PLUS
Personnage PEECOL

INFORMATIONS

ÉDITION
Footpatrol
ANNÉE DE SORTIE
2012
UTILISATION PREMIÈRE
Course
TECHNOLOGIE
Renfort de talon en plastique ; semelle extérieure en gomme ; laçage ghillie
PLUS
Chaussettes co-marquées ; sac à chaussures en Nylon ; grand sac en toile

LE COQ SPORTIF ÉCLAT x FOOTPATROL

LA CHAUSSURE DE COURSE ÉCLAT : UN ÉTERNEL CLASSIQUE

L'édition 2012 du modèle Éclat de Le Coq Sportif fut le résultat de sa toute première collaboration avec le magasin de baskets londonien Footpatrol.

Le coloris doux rehaussé de rouge était fondé sur l'idée selon laquelle la basket serait portée toute l'année. Du daim de qualité supérieure, un Nylon ultraléger et du Scotchlite étaient associés à une semelle de gomme caoutchouc, avec la languette arborant un assemblage des logos des deux marques : le triangle Le Coq Sportif accueillant le logo masque à gaz de Footpatrol.

Seules quatre-vingt-cinq paires furent produites en référence à l'année de sortie du modèle d'origine.

A BATHING APE BAPESTA
x MARVEL COMICS

SUPER BAPE

En 2005, A Bathing Ape (BAPE) et le géant de la bande dessinée, Marvel, s'associèrent pour créer les BAPESTA Marvel. La collection incluait des coloris inspirés par des super-héros, tels que Spiderman, Captain America, l'incroyable Hulk, le Surfer d'argent, Thor, Iron Man et la Torche humaine.

De la broderie Marvel, imprimée sur les semelles intérieures et les décalcomanies de personnages sur les talons aux coloris bien pensés, en harmonie avec les combinaisons de couleurs remarquables habituelles de BAPE, une très grande attention est ici accordée aux détails.

Tous les modèles Marvel furent proposés dans un emballage-coque en édition limitée, en référence aux jouets animés à collectionner.

Le modèle Incroyable Hulk reprend le vert caractéristique de la peau du personnage et le rose violet de son short déchiré. Les éditions Marvel peuvent maintenant atteindre 450 $.

INFORMATIONS

ÉDITION
Incredible Hulk
SÉRIE
Marvel Comics
ANNÉE DE SORTIE
2005
UTILISATION PREMIÈRE
Loisirs
PLUS
Emballage-coque

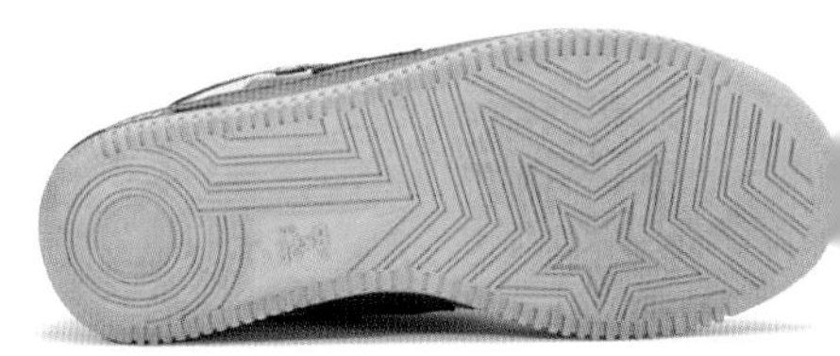

A BATHING APE BAPESTA x NEIGHBORHOOD

INFORMATIONS

ÉDITION
Neighborhood
ANNÉE DE SORTIE
2004
UTILISATION PREMIÈRE
Loisirs

UNE RARETÉ JAPONAISE

Sorti en 2004, ce modèle issu d'une collaboration entre le géant du streetwear japonais A Bathing Ape et Neighborhood fut limité à cent paires seulement dans le monde.

Beaucoup surnommaient ces baskets les « Yin Yangs » en raison de leurs couleurs noir/blanc inversées sur les pieds droit et gauche. La tige était composée de cuir supérieur et terminée par un NY brodé sur le talon.

SAUCONY SHADOW 5000 x BODEGA 'ELITE'

LES MODÈLES CLASSIQUES RECOIVENT LA RECONNAISSANCE QU'ILS MÉRITENT

Saucony et Bodega de Boston s'associèrent en 2010 pour créer une gamme appelée Saucony Elite. Souhaitant relancer des modèles classiques et sous-estimés selon eux, les deux sociétés travaillèrent avec un mélange de matériaux de qualité supérieure, tels que la doublure peau de porc et le nubuck perforé, rehaussés de couleurs vives pour moderniser ces baskets oubliées.

L'un des modèles de la série fut la Shadow 5000, à l'origine exclusivement vendue sur le marché japonais. Saucony décida ensuite d'autoriser certains de ses distributeurs favoris à la commercialiser avec une étiquette de languette différente – l'édition japonaise arborait une étiquette Shadow 5000, alors que la version mondiale portait une étiquette ailée Saucony Elite.

Les autres modèles de la gamme incluaient les Shadow 6000, Hangtime, Elite Grid 9000, Elite Jazz et Master Control.

INFORMATIONS

ÉDITION
Bodega Elite
ANNÉE DE SORTIE
2010
UTILISATION PREMIÈRE
Course à pied
TECHNOLOGIE
Talon et haut de tige rembourrés ; semelle intérieure rembourrée ; semelle caoutchouc XT600 ; semelle intermédiaire EVA

FILA TRAILBLAZER x FOOTPATROL

LE RETOUR DE LA TRAILBLAZER

Parmi les modèles remarquables de la collection Montagne de FILA des années 1990, la Trailblazer fut historiquement populaire dans la rue et sur les scènes rave du Royaume-Uni.

En 2012, Footpatrol collabora avec FILA pour relancer la Trailblazer avec un modèle hybride du nom de Trailblazer AM.

La Trailblazer de Footpatrol se voulait aussi fidèle que possible à l'originale, avec l'ajout de détails subtils, tels qu'un logo Footpatrol sur la cheville et l'inscription des deux marques sur la semelle intérieure. La Trailblazer AM était une version modernisée avec de nouveaux éléments, dont une semelle extérieure en caoutchouc soufflé, une garniture en cuir tanné et une tige en nubuck premium lisse.

Chaque série était composée de deux modèles de couleurs différentes.

INFORMATIONS

ÉDITION
Footpatrol
ANNÉE DE SORTIE
2012
UTILISATION PREMIÈRE
Extérieur
TECHNOLOGIE
Laçage ghillie ; semelle extérieur en caoutchouc soufflé

LA ROYAL MASTER REVISITÉE PAR WOOLRICH

PRO-Keds a collaboré avec le spécialiste des vêtements d'extérieur Woolrich pour ce modèle en édition limitée.

Le célèbre tissu écossais « hunting plaid » de Woolrich fut utilisé pour la tige de la Royal Master DK – une version modernisée de la Royal Master d'origine, de 1972, avec le soutien de cheville rembourré de DK et des détails plus raffinés appliqués sur toute la chaussure.

Le modèle fut proposé en trois coloris – gris foncé, bleu marine et rouge – avec des lacets contrastants blancs et un bout en caoutchouc sur une semelle vulcanisée blanche. La basket arborait la marque PRO-Keds sur la languette ainsi que des rayures rouges et bleues caractéristiques sur la semelle intermédiaire blanche.

PRO-KEDS ROYAL MASTER DK 'HUNTING PLAID' x WOOLRICH

INFORMATIONS

ÉDITION
Woolrich Hunting Plaid
ANNÉE DE SORTIE
2012
UTILISATION PREMIÈRE
Basket-ball
TECHNOLOGIE
Semelle en caoutchouc vulcanisée ; semelle intérieure moulée amovible ; renfort au niveau des orteils

INFORMATIONS

ÉDITION
Patta
SÉRIE
5th Anniversary
ANNÉE DE SORTIE
2009
UTILISATION PREMIÈRE
Basket-ball
TECHNOLOGIE
Semelle vulcanisée ; semelle intérieure moulée amovible ; renfort au niveau des orteils
PLUS
Sac d'épicerie

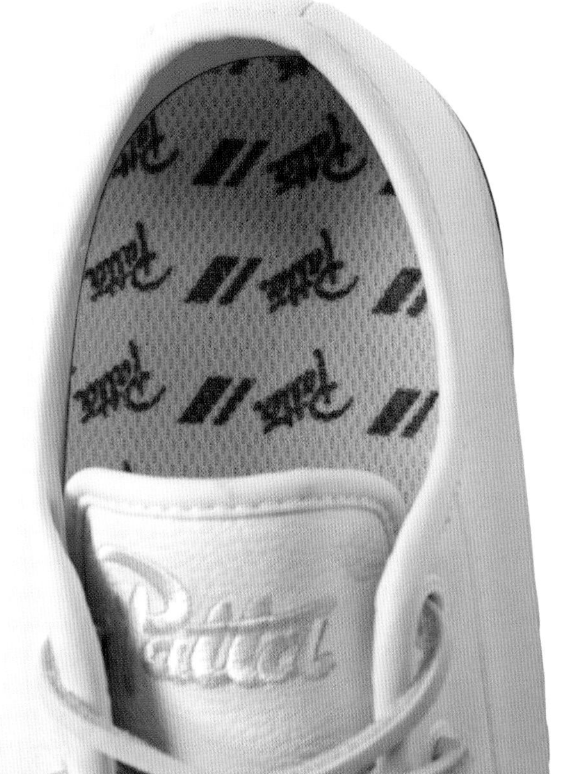

PRO-KEDS ROYAL LO x PATTA

UN CUIR SUPÉRIEUR DIGNE DE LA ROYAL LO

L'année 2009 marqua le 5e anniversaire de Patta et, dans le cadre des célébrations, le label hollandais s'associa avec la marque américaine PRO-Keds, célèbre pour ses chaussures de basket-ball qui furent portées par de nombreux joueurs dans les années 1970. Pour cette collaboration, ils créèrent des versions premium des Royal Lo et Hi.

Les chaussures se distinguaient par une tige en cuir grenelé blanc supérieur, le nom de la marque Patta également en blanc, des œillets en émail et des lacets en cuir, sur une semelle en gomme classique. Connu pour ajouter des accessoires à ses éditions, Patta inclut également un sac d'épicerie résistant en toile et cuir.

PRO-KEDS 69ER LO
x BIZ MARKIE

INDÉMODABLE

En 2011, PRO-Keds s'associa à Marcel Hall, alias Biz Markie, artiste de hip-hop, pour cette version de la 69er Lo.

Deux coloris de cuir – vert olive et noir, limités à trois cents paires chacun – furent proposés, avec une édition blanche exclusive produite en collaboration avec le distributeur Packer Shoes (limitée à cent cinquante paires). Ces trois modèles se distinguaient par un tampon Biz sur la languette et des semelles intérieures spéciales.

Les baskets étaient vendues dans une boîte de qualité supérieure et accompagnées d'une clé USB Biz Markie.

INFORMATIONS

ÉDITION
Biz Markie
ANNÉE DE SORTIE
2011
UTILISATION PREMIÈRE
Basket-ball
TECHNOLOGIE
Semelle vulcanisée ; semelle intérieure moulée amovibl renfort au niveau des orteils
PLUS
Boîte de qualité supérieure ; clé US

PONY SLAM DUNK VINTAGE x RICKY POWELL

LA SLAM DUNK REVISITÉE PAR UN PHOTOGRAPHE

En 2012, le célèbre photographe de rue Ricky Powell, connu pour ses photographies d'artistes Def Jam, tels que les Beastie Boys, LL Cool J et Run-DMC, collabora avec Pony sur son modèle de basket-ball de 1982, la Slam Dunk.

En tant que végétarien strict, Powell ne voulait pas que des matières animales soient incorporées au modèle. Il préféra munir la chaussure d'une tige en toile fortement huilée pour être sûr qu'elle soit tout aussi robuste et résistante qu'une chaussure en cuir.

Pour promouvoir cette collaboration, Powell se rendit chez Footpatrol à Londres et dans le magasin SPRMRKT d'Amsterdam où la collection, incluant deux tee-shirts, fut présentée lors d'une manifestation en magasin parallèlement à un diaporama privé des photographies de Powell. Lors de cette manifestation, ce dernier signa des imprimés de sa célèbre photographie *The Dog Walker*. On pouvait trouver sa signature sur les languettes des baskets et sur la photographie *The Dog Walker* affichée sur les semelles intérieures et le couvercle de la boîte.

La Dunk vintage rouge / argent fut uniquement commercialisée aux États-Unis et au Japon, tandis que la version marine / argent le fut à plus grande échelle, notamment distribuée dans des comptes Pony choisis.

INFORMATIONS

ÉDITION
Ricky Powell
ANNÉE DE SORTIE
2012
UTILISATION PREMIÈRE
Basket-ball
TECHNOLOGIE
Semelle vulcanisée ; renfort au niveau des orteils

PONY M100 x DEE & RICKY

LES JUMEAUX EN MARCHE

Pony choisit de ressortir la M100, lancée pour la première fois en 1988. Le modèle était très high-tech à l'époque, se distinguant par une grille latérale moulée respirable, un système de laçage rapide et une attache au talon pour plus de stabilité. Les couleurs vives et les matériaux robustes faisaient référence aux prostituées et aux joueurs de streetball qui les portaient dans les années 1980.

Nés et élevés à New York, les jumeaux designers, Dee & Ricky, collaborèrent ensuite avec Pony en 2012 sur une version en édition limitée de la M100 (dont trois modèles sont illustrés ici), sortie le jour du 26e anniversaire des garçons. Les couleurs particulièrement vives caractéristiques de Dee & Ricky associées à un mélange de matériaux supérieurs, tels que du cuir, du daim, du 3M, du Nylon balistique, de la laine et du cuir verni, permirent de moderniser ces baskets des années 1980.

INFORMATIONS

ÉDITION
Dee & Ricky
ANNÉE DE SORTIE
2012
UTILISATION PREMIÈRE
Basket-ball
TECHNOLOGIE
Talon micro-pillow; trous de ventilation; système de soutien de la cheville Hytrel; laçage ghillie

PONY
PONY
PONY
PONY

LES COLLABORATEURS

Les collaborations peuvent transformer les plus obscures baskets en objets de désir. L'histoire qui se cache derrière la chaussure ajoute du poids à chaque choix de couleur, application de matériau ou modification qui composent un ensemble unique.

Une marque avec une forte histoire et une certaine philosophie peut produire une édition limitée qui aura du succès et marquera l'histoire de la basket.
Une fois qu'une marque et un associé suscitent l'intérêt avec leur première collaboration, il y a des chances qu'ils proposent par la suite d'autres modèles.
Patta est un excellent exemple avec ses nombreuses interprétations de la Nike Air Max.

Des collaborateurs clés, tels que le collectif HTM (l'un des plus anciens partenaires de Nike), ont maintenant leurs propres fans. Après avoir fait impression avec sa version de l'Air Force 1 classique en 2002, HTM est aujourd'hui celui vers lequel on se tourne pour présenter les innovations de Nike – il parvient, en effet, à transformer un concept inconnu en un modèle de basket qui se porte et se collectionne. Crooked Tongues et Footpatrol sont également des collaborateurs très prisés dont les modèles ont résisté à l'usure du temps. Après avoir travaillé avec la plupart des grandes marques ces dernières années, leurs connaissances des baskets sont telles qu'ils suscitent les envies de collaborations. S'inspirant souvent d'anciens modèles et de couleurs à succès, ils accordent une attention toute particulière aux détails, ne lésinant jamais sur la qualité et vous offrant parfois plus que ce que vous pourriez espérer obtenir pour votre argent.

Dans cette partie, nous nous intéressons de plus près à certains des plus grands collaborateurs, vous donnant un peu plus d'informations sur leurs marques, leur histoire et les histoires qui se cachent derrière leurs baskets – comment ils sont devenus emblématiques et ce qui les motive.

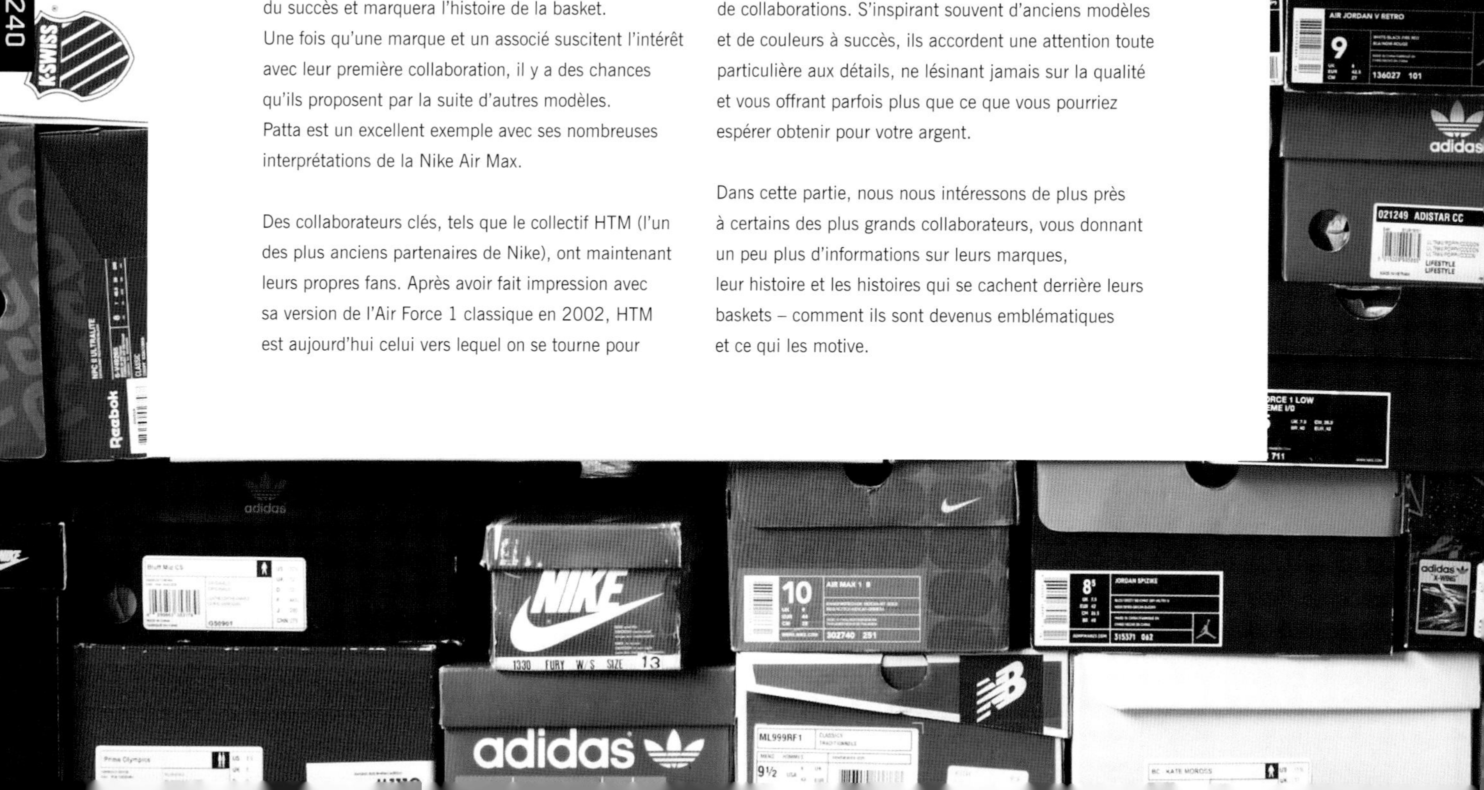

Lorsque trois grands noms de la basket – Hiroshi Fujiwara (Fragment Design), Tinker Hatfield (vice-président de Nike pour le design et les projets spéciaux) et Mark Parker (PDG de Nike et designer) – s'associèrent pour former le collectif HTM au début des années 2000, un partenariat spécial était né.

Le trio possédait une grande expérience de l'industrie de la basket et ces connaissances ouvrirent la voie à une nouvelle approche de la conception des baskets. Les membres de HTM travaillent très étroitement ensemble, ce qui leur permet de concevoir les meilleurs produits possibles, sans être limités par des règles ou des délais. Cette approche ouverte des collaborations a rendu possible la création de chaussures uniques et qui changent la donne.

HTM aime surprendre et repousse les limites des conventions en matière d'utilisation des tissus, de couleurs et de motifs et défie ainsi les notions de performance et de style. Généralement le premier à travailler sur les nouvelles technologies et nouveaux modèles de Nike, tels que la Nike Air Woven (pages 110-111) ou la Nike HTM Flyknit (page 152), HTM a créé des chaussures de sport esthétiquement remarquables et fondées sur une technologie de pointe essentielle.

Les produits proposés par HTM sont ainsi toujours très recherchés. Le partenariat HTM symbolise la meilleure des collaborations.

Mark Machado doit son surnom, Mr Cartoon, à son art. Après avoir commencé tôt à peindre au pistolet des tee-shirts et des voitures *lowrider*, il devint vite célèbre en tant qu'artiste graffeur. Après avoir traîné dans les magasins de tatouage, il évolua naturellement dans le monde de l'encre et développa un style auquel il doit maintenant sa célébrité à travers le tatouage à ligne fine, inventé dans le milieu carcéral californien.

Adoptée par le monde du hip-hop, l'œuvre de Mr Cartoon est apparue dans des magazines, des vidéos de musique et sur des jaquettes de CD pour des rappeurs tel Cypress Hill et son encre marque la peau de nombreuses célébrités. Cet artiste très occupé est également à la tête de la marque Joker Brand Clothing avec le Mexico-Américain passionné de baskets Estevan Oriol, possède sa propre société de marketing, SA studio, ainsi qu'une société de produits d'entretien automobile, Sanctiond Automotive.

Le style et l'influence de Mr Cartoon l'ont amené à sa première collaboration dans le domaine des baskets sur le modèle préféré des amateurs de hip-hop, la Nike Air Force 1. Il appliqua ensuite son style de ligne fine à d'autres Air Force 1 et a également travaillé en étroite collaboration avec Vans sur de nombreux projets. Il a à ce jour participé à huit collaborations pour des baskets.

dave white

Dave White est un artiste britannique de renom qui expose depuis plus de vingt ans. Souvent influencée par la culture populaire, l'œuvre de White est unique en son genre, quant à ce qu'elle exprime et au choix de ses couleurs éclatantes. Ses modèles suscitent beaucoup d'intérêt et il a ainsi collaboré avec plusieurs marques allant d'AOL à Coca-Cola et Converse.

Depuis 2002, White est surtout connu en tant que pionnier du mouvement « sneaker art », développant un style « wet paint » (peinture humide). White a ainsi décoré des modèles classiques de Nike et Jordan Brand de peintures à l'huile sur toile, dont l'exposition connut un grand succès.

L'année 2005 vit la poursuite de sa collaboration avec Nike à travers le Neon Pack (page 125), qui relança vraiment l'art de la conception de basket et, en 2011, White collabora sur le projet caritatif Jordan Brand, WINGS for the Future (pages 172-173), concevant vingt-trois paires de chaussures sur mesure, vendues aux enchères pour plus de 23 000 $. Il n'est ainsi pas étonnant que la Dave White x Air Jordan I commercialisée en 2012 fut l'une des baskets les plus médiatisées de l'année.

RONNIE FIEG

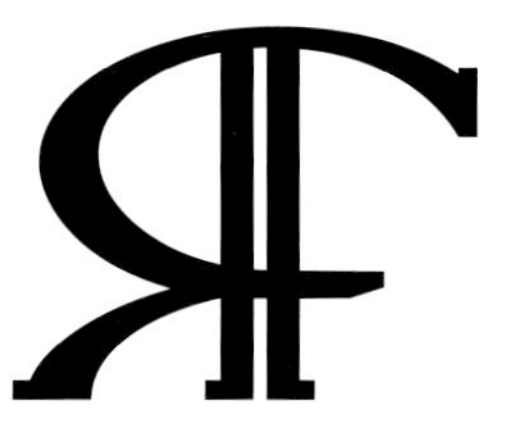

Ronnie Fieg est un créateur établi à New York, qui est né et a grandi dans le Queens, associé à la culture des chaussures toute sa vie durant. Gravissant les échelons de magasinier à acheteur dans les magasins David Z à Manhattan, Fieg enrichit ses connaissances (et sa collection) de baskets, ce qui le poussa à continuer et à créer son propre modèle.

Fieg collabora pour la première fois avec une marque en 2007 en imaginant cinq coloris pour l'ASICS Gel-Lyte III. Ses modèles furent tous un succès, avec les deux cent cinquante-deux paires vendues en une seule journée. Fieg poursuivit alors les collaborations avec ASICS et toute une série d'autres marques : Adidas, Clarks, Converse, Herschel Supply Co., New Balance, Polo Ralph Lauren, Puma, Red Wing Shoes, Saucony… et bien d'autres encore !

En 2011, Fieg ouvrit son propre magasin de streetwear, KITH NYC, qui accueille également nombre des marques avec lesquelles il a collaboré et sort souvent ses collaborations en exclusivité. Fieg sait sans aucun doute mieux que quiconque ce qui fait une bonne chaussure de sport et il est ainsi capable de revisiter de nombreux classiques.

Dans la ville de granit, Aberdeen, se trouve le magasin Hanon Shop, réputé pour ses modèles rares et classiques ainsi que pour une collection de vêtements élégants. Ouvert depuis 1990, il a la réputation d'être l'une des meilleures boutiques du Royaume-Uni, avec de nombreux articles disponibles en ligne.

Collaborant avec beaucoup de grandes marques, telles que New Balance, Saucony et Adidas, pour en citer quelques-unes, l'équipe d'Hanon Shop a introduit un fil conducteur dans la plupart de ses modèles. Très fier de sa ville, il revendique sa culture écossaise, tout comme ses matériaux et même les points de référence météo sur les chaussures. La couleur de son club de course à pied local a inspiré les ASICS Wildcats Gel-Lyte III (page 53).

Bien que le travail d'Hanon Shop incarne une esthétique de la conception « vieille école », les matériaux et les technologies choisis sont toujours innovants.

Les fondateurs, Michael Kopelman, Simon Porter et Fraser Cooke, ouvrirent le premier magasin Footpatrol au cœur de Soho en 2002. Il devint vite célèbre pour accueillir des articles de streetwear parmi les plus recherchés – dont des exclusivités japonaises et des invendus – et devint rapidement le magasin incontournable pour les passionnés de baskets de Londres.

Après avoir fermé en 2008, Footpatrol fut de nouveau chaleureusement accueilli en 2010 lorsqu'il rouvrit ses portes sur un nouveau site, dans la rue Berwick Street, magasin aujourd'hui possédé et dirigé par JD Sports (Pentland Group). Ce magasin s'inspira des minuscules boutiques du Japon et contient un deuxième magasin très intime au toit en pente. Les matériaux qui composent l'intérieur du magasin sont résolument basiques mais toutefois robustes et, en tant que tels, reflètent la philosophie de Footpatrol en matière de conception de baskets : une fusion parfaite entre l'aspect pratique et la conception. Ceci est tout aussi vrai aujourd'hui sous l'égide de JD qu'avant. Footpatrol a notamment puisé son inspiration dans les matériaux naturels du magasin pour la Footpatrol x ASICS Gel-Saga II (page 58), tant saluée en 2012.

On peut apercevoir le logo masque à gaz caractéristique de Footpatrol sur quelques modèles présentés dans ces pages.

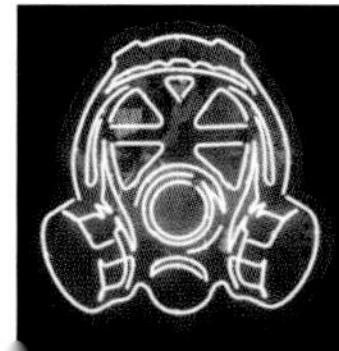

A BATHING APE

La marque à un million de dollars, A Bathing Ape (BAPE), est une marque japonaise de streetwear qui a ouvert des magasins au Japon puis en Asie, à Londres, à Paris et à New York, avant de s'étendre plus tard au salon de coiffure BAPE Cuts, aux disques BAPE Sounds, au café et à la galerie BAPE.

Nigo, le fondateur, s'inspira du film culte *La Planète des singes* pour son célèbre logo tête de singe et le nom de la marque en 1993. On raconte que l'expression « A Bathing Ape in Lukewarm Water » (Un singe qui se baigne dans de l'eau tiède), qui fait référence à une génération gâtée de jeunes Japonais qui « se la coulent douce », de futurs consommateurs avides de BAPE, aurait également eu une grande influence sur le choix du nom.

Après avoir proposé des tee-shirts, des sweat-shirts à capuche, des jeans et des vestes, BAPE se mit à produire ses propres chaussures, les Bapesta, inspirées par les Air Force 1 de Nike, tout en collaborant avec de grandes marques de vêtements de sport sur des modèles, tels que les Adidas Superstar et Campus, maintenant tombées en disgrâce. Tous les produits BAPE sont édités en petites quantités, ce qui signifie que les modèles exclusifs se vendent souvent vite et provoquent de longues files d'attente dans le monde entier.

En 2011, BAPE fut vendu au géant de la mode de Hong Kong, I.T, qui acheta 90 % de la société pour près de 3 millions de dollars. Nigo accepta de demeurer directeur créatif de la marque pendant les premières années.

Shawn Stüssy fonda la société de vêtements de surf du même nom – aujourd'hui célèbre dans le monde entier et l'une des marques de vêtements les plus anciennes de Californie – en 1984 en association avec son ami Frank Sinatra Jr.

Le logo emblématique vit le jour lorsque Shawn griffonna son nom au marqueur sur des planches de surf artisanales. Il transféra ensuite ce logo sur des tee-shirts et casquettes qu'il vendit depuis son coffre de voiture. Les vêtements de surf furent vite adoptés par les amateurs de skate, de hip-hop, les punks et autres sous-cultures tournées vers la rue.

La marque s'est considérablement développée et possède maintenant des magasins sur presque tous les continents. Après plus de trente ans, Stüssy continue à sortir des produits en édition limitée très recherchés.

En 2000, Stüssy établit sa première collaboration dans le domaine des baskets avec Nike, lorsque le distributeur britannique Michael Kopelman et Fraser Cook (qui fonda ensuite Footpatrol), de Nike, travaillèrent ensemble sur l'Air Huarache. Nombre d'éditions ultérieures ont inclus les amis et la famille Air Huarache Light, première basket de Nike à se distinguer par un autre nom de marque (page 101). Stüssy a ensuite collaboré avec succès avec Converse, Vans et Adidas, tout en continuant son travail phare avec Nike.

Supreme

Supreme ouvrit son premier magasin en 1994 dans Lafayette Street, à Manhattan, fondé par James Jebbia. La marque est aujourd'hui connue à travers le monde. Son logo emblématique, basé sur l'art de la propagande de Barbara Kruger, fit de la police Futura Heavy Oblique le synonyme de la culture du skate et de la rue.

Issue d'un groupe de skaters et d'artistes, qui constituent également le personnel et les clients du magasin de Supreme, la philosophie principale de la marque a toujours tourné autour de la culture du centre-ville. Travaillant et collaborant avec certains des plus grands créateurs, artistes, photographes et musiciens du monde, tels que Terry Richardson, Jeff Koons, Raekwon et Lady Gaga, Supreme est resté moderne et toujours pertinent, distribuant ses produits dans le monde entier et ouvrant des magasins au Japon et à Londres.

Sa « culture skate » a fait de Supreme un collaborateur clé de Nike SB et Vans. Il a joué un rôle essentiel dans l'évolution de certains des modèles les plus emblématiques de Nike – Supreme est, par exemple, à l'origine du développement des Zoom Bruin SB et Air Trainer II SB. Son application du pop art et sa capacité à rapprocher des artistes et des musiciens influents pour créer des modèles Vans très recherchés ont conduit à certaines des collaborations les plus réussies de tous les temps.

UNDEFEATED

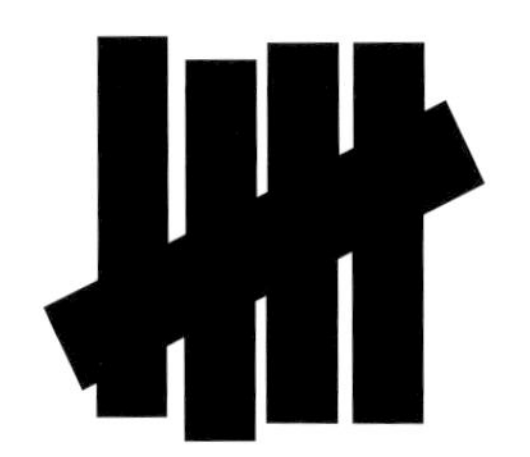

Deux associés ayant la même vision des choses ouvrirent leur premier magasin Undefeated en 2001. James Bond et Eddie Cruz, se reconnaissant tous deux accros de sport, partageaient également une passion pour l'art, la musique et la mode. Ils mirent en commun l'ensemble de leurs intérêts lorsqu'ils ouvrirent Undefeated.

Après avoir fait ses débuts à Los Angeles, Undefeated possède maintenant des magasins aux États-Unis et au Japon, avec une distribution s'étendant à la majeure partie du monde, se spécialisant dans le streetwear spécifique au sport en séries limitées. Son logo Five Strikes caractéristique fait référence à la manière dont les joueurs notent les scores dans la rue.

Cette grande marque aime réinvestir dans la communauté en sponsorisant des manifestations et fêtes sportives. Le panneau d'affichage au-dessus du magasin de Los Angeles est sponsorisé par Nike et, plutôt que de la publicité, le magasin y affiche les œuvres de nombreux artistes, tels que Geoff McFetridge, KAWS, José Parlá et Kehinde Wiley.

Undefeated est très impliqué dans les collaborations de baskets, ayant travaillé avec Adidas, New Balance, Nike, Puma, Reebok et Vans. Depuis 2001, il a exploré de nombreuses associations de matières et de couleurs, allant du simple et pratique au terriblement complexe. Ses réalisations très respectées reçoivent toujours un excellent accueil.

mita sneakers

Le célèbre magasin Mita Sneakers est bien établi en plein cœur du centre-ville de Tokyo, dans le quartier d'Ueno. Ayant commencé en tant que magasin de chaussures japonaises traditionnelles, vendant des *geta* et des *waraji*, il était à l'origine connu sous le nom de Mita Shoten. La vision avant-gardiste de l'actuel propriétaire de Mita, Kozaburo, l'amena à s'orienter vers la vente de baskets. Le boom des baskets dans les années 1990, associé au choix vaste et unique de Mita, lui permit de devenir l'un des magasins les plus importants de la région.

Depuis lors, le directeur créatif de Mita Sneakers, Shigeyuki Kunii, a collaboré avec de nombreuses marques au fil des ans, offrant des éditions exclusives à des passionnés de baskets du monde entier.

Le motif grillage qui décore le mur du magasin est souvent utilisé comme un imprimé caractéristique sur les semelles intérieures des modèles issus de collaborations de Mita.

CLOT

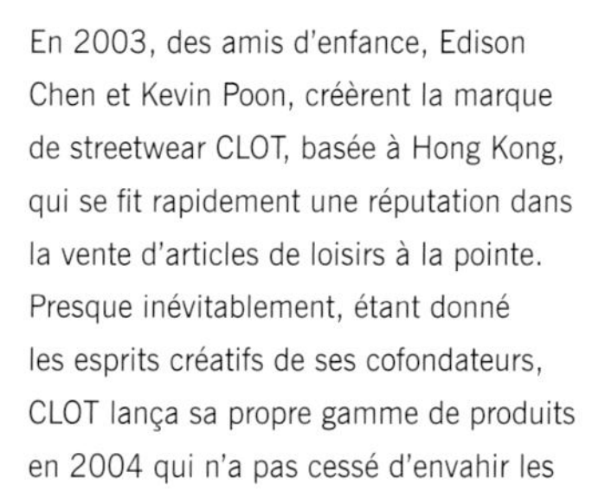

En 2003, des amis d'enfance, Edison Chen et Kevin Poon, créèrent la marque de streetwear CLOT, basée à Hong Kong, qui se fit rapidement une réputation dans la vente d'articles de loisirs à la pointe. Presque inévitablement, étant donné les esprits créatifs de ses cofondateurs, CLOT lança sa propre gamme de produits en 2004 qui n'a pas cessé d'envahir les rayons depuis. Cela conduisit au lancement du célèbre magasin de streetwear de créateur, JUICE, dans de grandes villes d'Asie, telles que Hong Kong, Shanghai, Taipei et Kuala Lumpur.

Au fil des ans, la marque est passée de la musique et la mode aux services de conception, conseil en relations publiques et même organisation d'événements. Le label CLOT favorise la collaboration entre les styles de culture oriental et occidental des jeunes. Cette position est essentielle pour ses collaborations dans le domaine des baskets avec une liste importante de marques internationales, parmi lesquelles Kanye West, Disney, Lacoste, Adidas, Nike, Converse et Vans.

En 2006, l'emblématique Air Max 1 Kiss of Death (page 115), réalisée en collaboration avec Nike, atterrit dans les rayons. Cette chaussure était inspirée par la médecine chinoise. Non seulement elle enthousiasma les passionnés de baskets, mais elle marqua également la toute première collaboration entre Nike et une marque basée à Hong Kong.

Par amour et nécessité, plutôt que par attrait du profit et de la nouveauté, le magasin Patta ouvrit ses portes au Nieuwezijds Voorburgwal en 2004. Situé au cœur d'Amsterdam, le magasin devint un centre d'attention en apportant de la nouveauté sur la scène hollandaise. En assez peu de temps, Patta passa de l'importation de chaussures de l'étranger aux avantages liés aux comptes haut de gamme de toutes ses marques préférées et à des collaborations avec ces dernières sur des produits. Ce magasin tout-en-un devint une plate-forme de la culture streetwear.

Après huit ans passés sur son site d'origine, Patta déménagea pour le quartier historique de Zeedijk, recréant l'atmosphère propre à Patta, toutefois avec un nouveau style et une nouvelle façon de communiquer sur son image. L'espace de vente est dédié à la présentation des multiples chaussures, vêtements et accessoires du magasin et, bien évidemment, de la propre marque de Patta.

Outre des modèles de base, de marque Nike, Adidas, Converse, ASICS, Reebok, KangaROOS, New Balance et UBIQ, le magasin vend également des marques de vêtements, parmi lesquelles Stüssy, Rockwell, Kangol et Norse Projects. D'autres idées, concepts, produits et collaborations avec nombre de marques suivront bientôt, la croissance et l'expansion se poursuivant...

SNEAKERSNSTUFF

Sneakersnstuff place la Suède en bonne place sur la carte pour la vente de baskets avec deux magasins – à Stockholm et Malmö – et une forte présence en ligne.

Les propriétaires, Erik Fagerlind et Peter Jansson, avides collectionneurs avant d'ouvrir le magasin en 1999, souhaitaient rendre disponibles en Suède des baskets exclusives, tout comme leurs amis l'avaient fait à Stateside. Bien évidemment, outre des baskets difficiles à trouver, ils vendent aussi des classiques très appréciés. Sneakersnstuff a collaboré avec un grand nombre de marques au fil des ans, dont Adidas, Reebok, New Balance et Converse. Dans le véritable style scandinave, nombre des modèles ne sont pas très colorés, mais se distinguent plutôt par des textures et des tissus inhabituels. Des peaux animales et de la laine ultradouces, à la fois très fonctionnelles et franchement belles, ont souvent été utilisées. Le discret logo SNS de Sneakersnstuff figure le plus souvent sur la chaussure.

Ce qui commença sous la forme d'une bande de personnes partageant la même opinion et se réunissant à l'extérieur d'un magasin à Londres est devenu l'un des plus grands sites et forums de baskets du monde, Crooked Tongues (CT). Le propriétaire Russell Williamson et ses amis ont réussi à transformer une obsession en gagne-pain en 2000, lorsque leur site Internet devint l'une des références les plus fiables en matière d'informations sur les baskets, un endroit où les fans pouvaient exprimer leur enthousiasme (et leurs colères) au sujet des différents modèles, et un magasin en ligne proposant les classiques, des éditions vintage rares et d'autres modèles recherchés. CT s'est depuis fait connaître pour son légendaire barbecue annuel, s'aventurant même jusqu'en Thaïlande pour célébrer l'événement.

Ce magasin se distingue des autres par son approche honnête. Il ne se contente pas d'évoquer les chaussures vendues sur le magasin en ligne ; cette honnêteté se traduit également dans les collaborations, avec des inspirations puisées dans les coloris d'archives et les forums en ligne CT.

Au fil des ans, CT s'est associé avec nombre de marques de chaussures et a créé des baskets de réputation mondiale, telles que les New Balance x House 33 x Crooked Tongues (page 87), qui se distinguent par un imprimé emblématique et voyant House 33 sur un cuir supérieur.

Le magasin et site de vente en ligne allemand Solebox est l'un des plus importants pour les baskets, ayant satisfait les passionnés en quête de modèles rares depuis plus d'une décennie maintenant. Le magasin physique se situe à Berlin et accueille non seulement un nombre considérable de chaussures, mais également des vêtements, des accessoires et des magazines.

Le magasin a souvent été transformé, passant d'un intérieur très blanc à des murs noirs, mais ses chaussures n'ont jamais cessé de se distinguer.

Le propriétaire du magasin Hikmet and Co. a collaboré avec de nombreuses marques au fil des ans, créant des éditions New Balance très populaires, plusieurs modèles Reebok et des modèles classiques Adidas, pour n'en citer que quelques-uns.

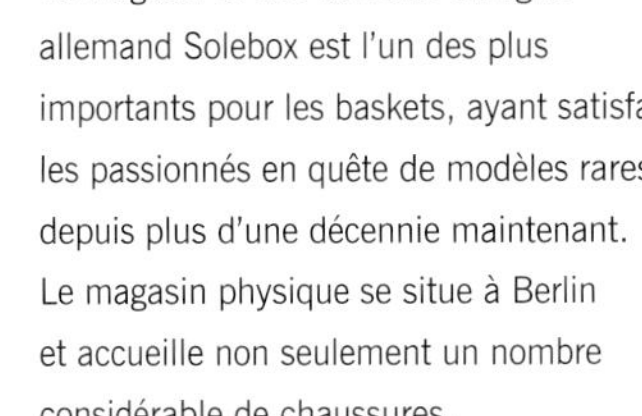

BEN DRURY

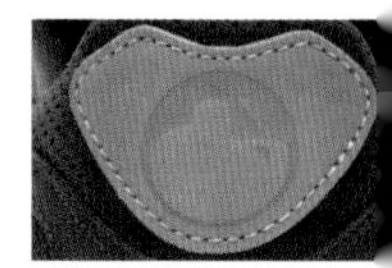

Le créateur, typographe et illustrateur britannique Ben Drury s'engagea sur la voie de la créativité avec la maison de disques Mo' Wax, aux côtés de Will Bankhead, après être sorti diplômé du Central Saint Martins College of Art and Design, à Londres. Les deux directeurs artistiques travaillèrent ensemble avec le fondateur de Mo' Wax, James Lavelle, pour développer des illustrations emblématiques pour des pochettes d'albums et des boîtes, puis des livres, des films, des jouets et des vêtements. La Nike Dunkle (page 147) doit son aspect et son nom à l'album *Never, Never, Land* d'U.N.K.L.E., sur lequel Drury et Bankhead travaillèrent ensemble avec l'artiste graffeur Futura.

Après Mo' Wax, Drury établit son propre studio de création en 2000 et continua à collaborer avec les grandes marques Nike et Converse. Ses modèles ont tendance à associer les influences de la musique et celles de la culture de la rue et de la mode. Pour sa première collaboration solo avec Nike, on demanda à Drury de revisiter une Air Max 1 sur le thème de l'Air et il décida alors d'utiliser des stations de radio pirates comme inspiration « on air » (page 123). Le résultat fut un succès immédiat. La relation de longue date entre Nike, Ben Drury et Dizzee Rascal aboutit à l'Air Max 90 de 2009, sortie en même temps que l'album *Tongue N' Cheek* de Dizzee, illustré par Drury (page 118).

BODEGA

Jay Gordon, Oliver Mak et Dan Natola, qui souhaitaient faire bouger un peu les choses au cœur de la puritaine Boston, ouvrirent en 2006 un magasin différent. Ils étaient inspirés par une tendance espagnole des années 1970 qui consistait à voler des éléments des marques de luxe, à remplacer les étiquettes et à les vendre sous leur propre nom. Cette idée de « piratage » constituait la base de leur concept de magasin.

Le mot espagnol *bodcga* fait référence au commerce de proximité à l'avant du magasin, qui vent toutes sortes de produits pour la maison, des aliments en conserve à la lessive. Caché derrière cette façade trompeuse se trouve un royaume du streetwear de luxe accueillant, non seulement la propre gamme de vêtements de Bodega, mais aussi Stüssy, Penfield et Garbstore.

Avec une clientèle comprenant des vieilles dames achetant leur lessive et des enfants cherchant leur prochaine paire de baskets exclusives, Bodega a apporté un avantage de poids à Boston. Le battage publicitaire a conduit à toute une série de collaborations réussies avec Converse, Nike, Vans et Saucony.

ANATOMIE D'UNE BASKET

VOUS NE SAVEZ PAS DISTINGUER VOTRE SEMELLE INTERMÉDIAIRE DE LA CAMBRURE DE VOTRE CHAUSSURE ? L'ANATOMIE D'UNE BASKET PEUT ÊTRE COMPLIQUÉE, SURTOUT AVEC DES CHAUSSURES DE DIFFÉRENTES FORMES ET TAILLES ET DESTINÉES À DES UTILISATIONS DIVERSES. LA PLUPART DES BASKETS SONT TOUTEFOIS CONSTITUÉES POUR L'ESSENTIEL DES MÊMES ÉLÉMENTS DE BASE. VOUS TROUVEREZ CI-APRÈS LA DÉFINITION DES PRINCIPAUX TERMES DU JARGON DE LA CHAUSSURE, AINSI QU'UN GLOSSAIRE TECHNIQUE À PARTIR DE LE LA PAGE 252, QUI S'EST SENSIBLEMENT ÉTOFFÉ DEPUIS LA PREMIÈRE ÉDITION.

1. EMPEIGNE

L'empeigne est généralement composée de cuir ou de daim et peut être perforée ou non. L'empeigne d'une chaussure de course est généralement en mesh Nylon pour la respirabilité.

2. SEMELLE INTERMÉDIAIRE

La semelle intermédiaire se trouve entre la semelle extérieure et la tige et arbore souvent la marque, un imprimé, un gaufrage ou autre, mais sa principale fonction est essentielle – c'est là que la majeure partie de la technologie d'amorti est appliquée.

3. SEMELLE EXTÉRIEURE

Elle varie selon les marques et dépend également de l'utilisation prévue de la chaussure. Le caoutchouc résistant est le matériau le plus couramment employé. Cette partie de la chaussure est, soit cousue, soit liée à la tige.

4. BANDE DE RENFORT

Il s'agit du morceau de caoutchouc qui relie la tige à la semelle.

5. AVANT-PIED

Se trouve au fond de la chaussure, au niveau de la plante de pied, il est généralement prévu qu'il soit souple, avec des rainures pour faciliter le mouvement.

6. TALON

Se trouve au fond de la chaussure, à l'arrière du pied. L'amorti est très important à cet endroit.

7. ŒILLETS

Ils peuvent, soit faciliter le laçage, soit ajouter de la stabilité à la chaussure.

8. SEMELLE INTÉRIEURE / SEMELLE DE PROPRETÉ / PREMIÈRE

Elle est dissimulée à l'intérieur de la chaussure et généralement amovible. Elle est renforcée au niveau du talon et possède un soutien de voûte plantaire, assurant la stabilité du pied. La semelle intérieure constitue le support idéal pour les dessins, logos et motifs. Souvent composée de mousse PU.

9. LANGUETTE

Elle sert de soutien et permet un bon ajustement du pied.

10. LACETS

Comme nous le savons tous, ils maintiennent la chaussure en place. La plupart des lacets de baskets sont en fibres synthétiques ou coton mais ils peuvent aussi être parfois en cuir, en chanvre ou autre.

11. FERRETS

À l'extrémité du lacet, on trouve une petite pièce qui l'empêche de s'effilocher : le ferret. Il est généralement en plastique mais il en existe également en métal.

12. PIÈCE DU TALON

Emplacement de choix pour la marque.

13. RENFORT DE TALON

Ce dernier enveloppe l'arrière de la chaussure jusqu'aux côtés ; il sert à rigidifier la zone qui entoure le pied pour mieux le maintenir.

14. PARTIE MÉDIALE

Il s'agit de la partie arquée de la chaussure au niveau de la voûte plantaire.

15. PARTIE LATÉRALE

Elle se trouve à l'opposé de la partie médiale ; c'est le côté tourné vers l'extérieur.

16. DOUBLURE

Intérieur de la tige ; les fabricants essaient de fabriquer des doublures douces et respirantes, comme elles sont en contact direct avec le pied ou la chaussette.

17. HAUT DE TIGE

Le haut de tige est renforcé ou rembourré pour assurer le confort et le maintien. C'est encore plus important pour les chaussures montantes.

18. TIGE

Somme de toutes les parties, la tige réunit tout ce qui est en dehors de la semelle intermédiaire ou de la semelle extérieure et se distingue généralement par un mélange de matières, du daim et cuir aux mesh nylon et fausses peaux animales.

19. BIJOU DE LACET

Certaines baskets arborent un élément décoratif en métal ou en plastique qui se trouve en bas des lacets, généralement décoré d'un nom de marque.

20. BOUCLE ARRIÈRE

La boucle arrière n'est pas indispensable mais on la trouve parfois autour de la languette pour arborer un logo ou au niveau du talon pour faire office de chausse-pied ; placée à cet endroit, elle facilite, en effet, l'enfilage de la chaussure sans plier le haut de tige.

20
9
16
20
17
10
18
19
12
11
7
1
13
4
5
2
3
6

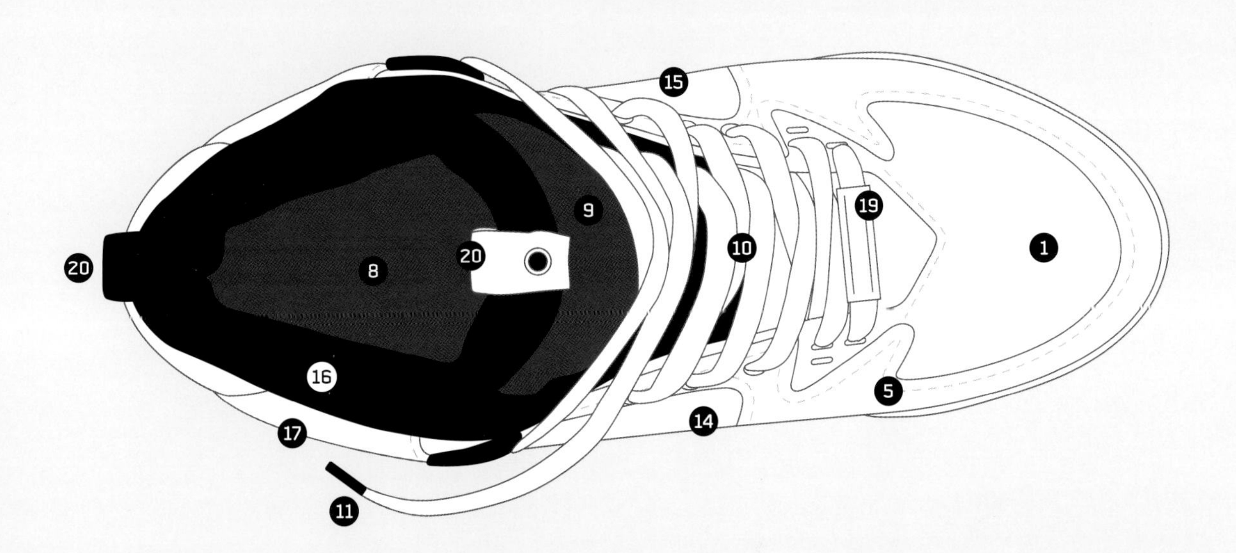
15
9
19
20
10
1
8
20
16
5
14
17
11

GLOSSAIRE TECHNIQUE

3M SCOTCHLITE
Une bande réfléchissante est utilisée pour améliorer la visibilité la nuit.

BELLOWS
Également connu sous le long de languette à soufflet : la languette est fixée sur les côtés extérieurs de la basket pour éviter que la neige ou la pluie pénètre à l'intérieur.

CAOUTCHOUC SOUFFLÉ
Matériau de semelle extérieur injecté avec de l'air, ce qui le rend 40 % plus léger que le caoutchouc standard. Extrêmement flexible, doux et léger.

EVA (Éthylène-Acétate de Vinyle)
Matériau ultraléger utilisé pour augmenter l'amorti et la capacité d'absorption des chocs de la semelle intermédiaire. Lorsqu'il est comprimé dans un moule pressurisé, il forme une peau qui augmente sa résistance.

FERMETURE PAR VELCRO
Une bande de Velcro est généralement placée autour de la cheville pour assurer une meilleure protection, sécurité et stabilité.

LAÇAGE GHILLIE
Boucles de lacets, souvent en forme de D, qui contribuent à garantir un ajustement confortable. Permet un laçage rapide.

LASER
Gravure par des machines au laser qui brûlent des dessins vectoriels sur la tige de la chaussure.

LUMIÈRE LED
Une diode émettrice de lumière augmente la visibilité et donc la sécurité du porteur la nuit.

POINT DE PIVOT
Point circulaire qui se trouve sur la plante de pied et aide à tourner ou pivoter sur les terrains.

RENFORT AU NIVEAU DES ORTEILS
Généralement composé de caoutchouc : embout qui protège les orteils lorsque vous vous déplacez sur le terrain.

SEMELLE À CHEVRONS
Un motif chevron est utilisé sur la semelle extérieure pour assurer une bonne adhérence et une bonne traction.

SEMELLE DE GOMME
Plus douce et plus flexible que le caoutchouc classique, elle offre également une meilleure adhérence. Ne marque pas les terrains intérieurs.

SEMELLE INTERMÉDIAIRE EVA DOUBLE DENSITÉ
Semelle intermédiaire composée d'EVA à double densité, ce qui la rend plus solide et plus ferme.

SEMELLE PU (POLYURÉTHANE)
Semelle extérieure légère mais extrêmement abrasive souvent utilisée pour les chaussures de course et d'entraînement dans les années 1980, ce qui augmente la flexibilité, l'absorption des chocs et la traction.

SEMELLE VULCANISÉE
La vulcanisation implique de traiter le caoutchouc de la semelle et/ou la bande de renfort avec de la chaleur jusqu'à la tige. Plus résistant que le caoutchouc classique ; peut être plié sans perdre sa forme d'origine.

THINSULATE
Technologie d'isolation thermique qui utilise les fibres synthétiques pour le flux de chaleur et pour laisser l'humidité s'échapper.

TIGE D'UNE SEULE PIÈCE
Il s'agit d'une tige extrêmement légère, les panneaux étant moins nombreux. Aucune couture, ce qui réduit le frottement entre le pied et la basket.

TPU (Uréthane Thermoplastique)
Plastique ultraléger et résistant qui peut être adapté pour atteindre le niveau de rigidité souhaité et peut être utilisé pour fabriquer des plaques qui stabilisent la chaussure.

ADIDAS

ADIZERO
Construction ultralégère.

COQUE DE PROTECTION DES ORTEILS
Embout en caoutchouc résistant qui protège l'avant-pied et facilite le mouvement stop-start.

EQUIPMENT (EQT)
Gamme introduite dans les années 1990, offrant aux athlètes plusieurs modèles mettant l'accent sur le maintien et l'amorti.

MULTI-DISQUE
Semelle extérieure très adhérente composée de plusieurs disques avec le logo Trefoil assurant une meilleure traction. Les bords dentelés favorisent également la traction et permettent d'absorber les chocs.

PRIMEKNIT
Fil fin tricoté ; technologie visant à assurer une bonne flexibilité et un bon maintien, avec une finition sans couture.

RENFORT DE TALON EN TPU
Accroît la stabilité et aide les porteurs de baskets qui ont du mal à contrôler leurs mouvements.

SEMELLE INTERMÉDIAIRE DELLINGER WEB
Un voile de tissu polyamide recouvre la semelle intermédiaire du talon aux orteils, comprimant l'attaque du talon et agissant un peu comme une barre de torsion.

SEMELLE POLYURÉTHANE DOUBLE-DENSITÉ
Semelle ultralégère.

SOFT CELL
Utilisé dans la majorité des chaussures de course Adidas ; développé pour améliorer la suspension.

SYSTÈME DE LAÇAGE ENTRECROISÉ À LA CHEVILLE
Se trouve sur le panneau latéral extérieur, en forme de X et renforcé par un système de fermeture par Velcro. Il assure la protection, la sécurité et la stabilité de la cheville.

TORSION
Soutient le milieu de pied, permettant de meilleurs contrôles, ajustements ou protections.

VENTOUSES
Elles permettent une meilleure traction.

ASICS

LANGUETTE FENDUE
Élimine l'inconfort des languettes classiques qui glissent pendant que l'on court.

SEMELLE COLLANTE
Offre une meilleure adhérence et mobilité sur le terrain de basket-ball.

SYSTÈME GEL CUSHIONING
Cette technologie exclusive à base de gel silicone est stratégiquement appliquée à des endroits à fort impact de la semelle intermédiaire, permettant une absorption optimale des chocs sans sacrifier la stabilité.

NEW BALANCE

ABZORB
Amorti au milieu du pied qui permet une absorption exceptionnelle des chocs.

C-CAP
EVA moulé par compression utilisé dans la semelle intermédiaire et qui offre amorti et flexibilité.

ENCAP
Caoutchouc soufflé saturé de molécules d'air et prévu pour disperser les chocs.

ROLLBAR
Système d'affichage TPU qui minimise le mouvement du pied arrière et contrôle la pronation – essentiel pour contrôler le mouvement et la stabilité des chaussures de course.

NIKE/JORDAN

ACG (ALL CONDITIONS GEAR)
Fait référence aux chaussures d'entraînement extérieur de Nike ; se différencie des autres gammes par le logo ACG.

AIR 180
Unité Air visible de 180 degrés avec une unité protégée visible sur la semelle extérieure.

AIR MAX 90 CURRENT
Elle correspond à la moitié d'une unité Air Max 90, utilisée pour amortir le talon, associée à la technologie Air Current sole qui permet à l'avant-pied de bouger librement.

BRS 1000
Caoutchouc synthétique durable utilisé sur les semelles extérieures. Du carbone lui est ajouté.

CLIMA-FIT
Matériau à base de fil tissé très serré pour être respirable, à l'épreuve du vent et imperméable ; à l'origine utilisé sur les vêtements techniques Nike.

DURALON
Généralement trouvé à l'avant-pied d'une chaussure de course, composé de caoutchouc ultraléger, synthétique et poreux.

DYNAMIC SUPPORT
Forme d'amorti qui se trouve dans la semelle intermédiaire et maintient le pied des coureurs.

FLYKNIT
Tige d'une seule pièce composée de fils tricotés et de différents tissus précisément conçus pour donner une tige ultralégère, anatomique et presque sans couture.

FLYWIRE
Filaments stratégiquement placés pour offrir un bon maintien ; ultralégers. Un tissu très fin recouvre le dessus du pied. Les filaments Flywire sont fixés à la semelle extérieure et à différentes parties de la tige pour maintenir le pied en place.

FOAMPOSITE
De la mousse liquide est versée dans une tige synthétique et se solidifie, créant une tige moulée.

FOOTBRIDGE
Conçu pour les coureurs. Ralentit le mouvement de roulement avec cinq doigts de stabilité et deux colonnes rigides à l'intérieur de la chaussure. La technologie Footbridge distinguait l'Air Stab.

FOOTSCAPE
Semelle spécialement formée pour soutenir un pied large.

FREE
Une semelle qui se distingue par des rainures profondes comme des dents qui encouragent la flexibilité et l'extension dans les deux directions. Sur une échelle de 0,0 à 10,0 ; 0,0 équivaut à un pied nu et 10,0 au toucher d'une chaussure de course traditionnelle.

HUARACHE
Chaussette apparente en Néoprène perforé et lycra double face. Maintient plus efficacement le pied du porteur et limite le risque de blessure.

ION-MASK
Technologie de revêtement nano repoussant les liquides produite par P2i qui permet d'obtenir une basket parfaitement imperméable.

LUNARLITE
Mousse utilisée sur la semelle intermédiaire élastique sur le pied ; plus légère encore que le Phylon. Diminue les points de pression douloureux sur le pied du porteur.

LUNARLON
Amorti qui se distingue par un cœur de mousse doux mais ferme entouré d'une mousse de soutien. Son côté élastique et sa légèreté aident à diminuer la pression sur le pied.

MAX AIR
Une forme d'amorti Nike Air qui contient un volume d'air maximal pour une protection optimale contre les chocs. Toujours visible dans la semelle intermédiaire.

MOIRE
Une tige quasiment sans couture à la respirabilité maximale.

NIKE+
Connecte les chaussures aux appareils Apple, permettant aux utilisateurs de suivre leurs courses, de contrôler leurs performances et de communiquer avec d'autres coureurs.

NIKE AIR
L'amorti Nike Air assure un grand confort. La technologie Nike Air se trouve presque toujours dans la semelle intermédiaire ou intérieure. Technologie d'amorti d'origine de Nike conçue en 1979.

NO-SEW
Les coutures sont soudées par pression pour créer une basket profilée avec une résistance accrue à l'eau.

PHYLON
Utilisé dans les semelles intermédiaires ; plus léger et résistant que d'autres mousses utilisées pour ce type de semelle. Elle ne jaunit pas et résiste à l'humidité.

PRESTO CAGE
Système de laçage qui s'étend aux côtés de la Presto, permettant un meilleur maintien du pied du porteur.

TISSÉ
Tige tissée composée d'un mélange de Nylon élastiqué et de fils non élastiques. Les fils élastiqués sont positionnés là où sont requis de la force et du maintien.

TORCH
Système à trois couches sans couture qui permet à l'humidité de quitter la chaussure, pour un confort accru sur une plus longue durée.

VISIBLE AIR
Une unité Air toujours visible dans la semelle intermédiaire.

ZOOM AIR
Amorti ultrasensible qui répond au stress généré par le porteur de la chaussure, l'absorbant et le réfractant. Sous la forme d'une unité plate et fine.

PONY

SYSTÈME DE MAINTIEN DE LA CHEVILLE HYTREL
Système de maintien intégré qui permet un ajustement anatomique autour de la zone de la cheville et du tendon.

TALON MICRO-PILLOW
Système d'amorti de Pony absorbant les chocs.

PUMA

COUVRE-LACET / LANGUETTE RECOUVRANTE
Garde les lacets en place pour une meilleure sécurité des cyclistes.

DISQUE
Système de fermeture qui augmente la stabilité. Lorsque le porteur tend le disque, les fils internes resserrent la tige.

ECOORTHOLITE
Semelle intérieure respectueuse de l'environnement composée d'une matière renouvelable propre. Parmi ses avantages, on note la respirabilité, le contrôle de l'humidité, les propriétés antimicrobiennes et l'amorti à long terme.

EVERRIDE
Composé de caoutchouc soufflé offrant un amorti supplémentaire à la semelle extérieure tout en réduisant le poids global de la chaussure.

EVERTRACK
Composé de caoutchouc hautement résistant à l'abrasion pour garantir sa durabilité.

FAAS BIORIDE
Technologie comprenant trois éléments biomécaniques de renforcement des performances – Rocker, Flex et Groove – qui œuvrent ensemble pour créer une chaussure naturellement réactive. Le nombre correspond à l'échelle Faas : plus il est élevé, plus l'amorti est important.

KMS LITE
Matériau innovant pour les semelles intermédiaires ; plus légères que les semelles standard PUMA en EVA.

TRINOMIC
Technologie de course avec des hexagones caractéristiques ; permet un contrôle exceptionnel du mouvement.

REEBOK

I3D ULTRALITE
Mouse ultralégère moulée par injection, particulièrement résistante et réactive.

ERS (ENERGY RETURN SYSTEM)
Cylindres en plastique DuPont Hytrel intégrés à la semelle pour faire office de ressorts.

HEXALITE
Remplaçant la technologie ERS, l'amorti Hexalite en forme de nid d'abeilles renforce l'absorption des chocs dans les zones de pression maximale, tout en étant extrêmement résistant.

PUMP
Système de gonflage interne : une chambre à air entourant le pied du porteur permet un ajustement personnalisé. L'air est pompé au niveau de la languette.

SEMELLE INTÉRIEURE EN MOUSSE PU
Absorbe une certaine quantité de chocs sur impact, offrant un amorti supplémentaire pour le pied, au-dessus de l'amorti de la semelle intermédiaire.

SAUCONY

SEMELLE EXTÉRIEURE EN CAOUTCHOUC XT600
Caoutchouc carbone, généralement placé sur les points d'impact ou les triangles de la semelle extérieure. Il est solide et très résistant à l'abrasion et à la traction.

VANS

DRI-LEX
Système de gestion de la transpiration composé de deux couches qui attire l'humidité de la peau et la pousse vers la couche extérieure afin qu'elle sèche vite.

SEMELLE CUPSOLE VULCANISÉE
Idéale pour les skateurs : une semelle vulcanisée bien adhérente pour un maintien et une protection supplémentaires.

SEMELLE GAUFRÉE
Semelle adhérente qui offre une bonne traction.

SEMELLE POWER TRANSFER
Une plaque Power Transfer est logée sous une semelle intérieure en EVA afin de la rendre plus rigide et d'améliorer la performance.

REMERCIEMENTS

REMERCIEMENT PARTICULIER À TOUS CEUX QUI ONT PARTICIPÉ À CE LIVRE ET ONT RENDU SA RÉALISATION POSSIBLE.

PRODUCTION

Niranjela Karunatilake chez U-Dox Creative

CONCEPTION

Nick Hearne chez U-Dox Creative

PHOTOGRAPHIES

Phil Aylen chez U-Dox Creative, excepté :
Photographies Ronnie Fieg x ASICS de KITH NYC, p. 49-51
Photographies du magasin Footpatrol de Louise Melchior, p. 243

ÉQUIPE U-DOX

Phil Aylen, Jess Ayles, Jaymz Campbell, Dan Canyon, Charlie Dennington, James Else, Chris George, Nick Hearne, Paul Jenkins, Liz Jones, Niranjela Karunatilake, Michael Keen, Leo Marks, Joseph O'Malley, Jess Ruiz, Tara Ryan, Joel Stoddart, Matt Tarr, Seb Thomas, Thuy Tran, Tom Viner, Mark Ward, Russell Williamson, Albert Zaragoza

MERCI À

Mubi Ali, Steve Bryden, Russell Williamson, Niranjela Karunatilake, Chris George, James Else, Chris Aylen, Joel Stoddart, Koba, Waseem Sarwar, Wesley Tyerman, Stevey Ryder, Paolo Caletti, Alex Grant, Glen Flurry, Sunil Rao, Thor Geraldsson, Ayodeji Jegede, David Taylor, Kendra Lee Smith, Rob Stewart, Mark Watson, Blair Massari, Acyde, Justin Ip, Dan Richmond, Bert McLean, Jade Ampofo, Shun Ame Sugimoto, Joseph O'Malley

Masahiro Usui – ABC Mart
Emily Chang, Daniel Bauer, Otto Christian, Olivia Fernandez Marin – Adidas
Oliver Mak – Bodega
Hunter and Mr Cartoon
Kevin Poon, Jymi, Pat and all at CLOT C_LAW,
Jei Morris, James Thome – Converse
Dave White – Dave White Studio
Ben Drury
John Brotherhood – Footpatrol
Richard Airey, Mary-Jane Chow – Gimme 5
David Taylor, Dugald Allan – Hanon Shop
Eugene Kan, Kevin Ma – Hypebeast
Corey Kamenoff – KITH NYC
Shigeyuki Kunii and all at Mita Sneakers
Julian Howkins, Adrian Fenech, Jaime McCall, Ryan Greenwood, Sharmadean Reid, Kristjan Gilles – Nike Sportswear
Annoushka Giltsoff, Sarah Lawson – A Number Of Names
James Nuttall – oki-ni
Gee, Masta Lee – Patta
Aman Tak, Victoria Barrio – Office/Offspring
Mister lego – Pony/Orange Dot
Emma Roach, Ryan Knight – Collective Brands/PRO-Keds
Laura Fairweather, Rima Patel, Ilyana Ari – Puma
Jill Gate, Kirsten Pugsley – Reebok
Peter Jansson, Johan Unden – SNS
Hikmet – Solebox
Scott Terpstra, Emmy Coats – Stüssy INC
Angelo B – Supreme
KB Lee, Ian Coates – Undefeated
Charlie Morgan, Chris Overholser, Jan Pochobradsky, Nichole Matthews – Vans

The Butcher Shop – Bethnal Green Road, Londres
Peter – Brick Lane Bikes, Londres
Andy Willis – Frontside, Hackney Wick, Londres
Dee – Hackney City Farm, Londres
Damian – Hoxton Bar & Kitchen, Londres
Londonewcastle Project Space – Londres
Meteor Sports – Bethnal Green Road, Londres
Sebastian Tarek Bespoke Shoes Studio – Londres
Shanghai – Dalston, Londres

INDEX

A Bathing Ape 8, 11, 20, 21, 191, 197, 226, 244 ; BAPESTA x Marvel Comics 230 ; BAPESTA x Neighborhood 231

Abdul-Jabbar, Karim 22

adidas 8, 10-45, 174, 184, 242, 243, 244, 245, 246, 247, 248 ; Adicolor Lo Y1 x Twist for Huf 26 ; Adizero Primeknit London Olympic 24 ; Campus 80s x A Bathing Ape x Undefeated 11, 21 ; Campus 80s x Footpatrol 11, 22-23 ; Consortium B-Sides 11, 22 ; Forum Hi x Frank the Butcher Crest Pack 15 ; Forum Mid All-Star Weekend Arizona 2009 14 ; Gazelle Berlin x Neighborhood 28 ; Immotile x Brooklyn Machine Works 41 ; JS Bear x Jeremy Scott 42 ; JS Wings x Jeremy Scott 43 ; Oktoberfest & VIP München x Crooked Tongues 11, 27 ; Originals ZX 9000 x Crooked Tongues 11, 38 ; Pro Shell x Snoop Dogg Snooperstar 44-45 ; RMX EQT Support Runner x Irak 34 ; Rod Laver Super x oki-ni Nile Carp Fish 31 ; Rod Laver Vintage x Mita Sneakers 29 ; Samba x Lionel Messi 44-45 ; SLVR Primeknit Campus 25 ; Stan Smith Vintage x No74 x No6 30 ; Superskate x Crooked Tongues 11, 13 ; Superstar 1 x Star Wars 30th Anniversary 36 ; Superstar 35th Anniversary Series 16-17 ; Superstar 80s & ZX 8000 G-SNK x Atmos 37 ; Superstar 80s B-Sides x A Bathing Ape 11, 20 ; Superstar 80s x Run-DMC 10, 19 ; Superstar Vintage Top Secret 18 ; Top Ten x Undefeated x Estevan Oriol 1979 12 ; Training 72 NG x Noel Gallagher 40 ; ZX 500 x Quote 33 ; ZX 500 x Shaniqwa Jarvis 32 ; ZX 8000 x Jacques Chassaing & Markus Thaler 8, 39 ; ZX 8000 x Mita Sneakers 35
Air Jordan 126, 158-173, 242 ; I Retro High 25th Anniversary 161 ; I Retro High Ruff N Tuff Quai 54 162, 169 ; I Retro High Strap Sole to Sole 160 ; I Wings for the Future x Dave White 172-173 ; II Carmelo 163 ; III Do the Right Thing 164 ; III White Flip 165 ; IV Mars Blackmon 167 ; IV Retro Rare Air Laser 166 ; V 123 Japan Only 171 ; V Green Beans 170 ; V Retro Quai 54 169 ; V Retro Rare Air Laser 168 ; IX 169
Alakazam 223
Alife 11, 34, 54, 73, 136, 190, 198
Aloha Rag 71
Anthony, Carmelo 159, 163
Apartment 142
ASICS 46-59, 85, 89, 186, 242, 243, 247 ; Gel-Lyte III Selvedge Denim x Ronnie Fieg 49, 51 ; Gel-Lyte III x Alife Rivington Club 54 ; Gel-Lyte III x Hanon Wildcats 53 ; Gel-Lyte III x Patta 46, 47, 59 ; Gel-Lyte III x Slam Jam 5th Dimension 55 ; Gel-Saga II Mazarine Blue x Ronnie Fieg 50 ; Gel-Saga II x Footpatrol 58 ; GT-II Olympic Team Netherlands 52 ; GT-II Proper 57 ; GT-II Super Red 2.0 x Ronnie Fieg 51 ; GT-IIx SNS Seventh Seal 56 ; OnitsukaTiger Fabre BL-L Panda x Mita Sneakers 48
Atmos 37, 102, 112, 113, 196

Bad Brains 202, 216, 217
Bankhead, Will 147, 249
Barneys 114
Baseman, Gary 114
Beams 187
Beastie Boys 221, 237
Bergman, Ingmar 56
Berry, Halle 99, 130
Betts, BJ 80, 81, 87
Big Proof 131
Billionaire Boys Club 197
Bodega 66, 72, 108, 212, 213, 232, 249
Bolt, Usain 174, 175, 182
Bond, James 12, 42, 245
Bowerman, Bill 96
Boylston Trading Co. 15
Bread & Butter 82
Brooklyn Machine Works 41
Brooks 224
Brown, Ian 16
Budnitz, Paul 114, 228
Busy Workshop 197
Butcher, Frank The 15

Caballero, Steve 225
Cartoon, Mr 136, 137, 203, 208, 209, 219, 241
Chassaing, Jacques 8, 38, 39
Chen, Edison 144, 246
Civilist 222
Clarke, Richard 129
CLOT 66, 70, 115, 144, 205, 246
Cobrasnake 215
Cohen, Micah 85
Colette 89, 92, 210, 215
Comme des Garçons 211
Concept 21
Consortium 11, 16, 20, 21, 26, 32, 35, 36, 39, 41
Converse 60-75, 242, 244, 246, 247, 249 ; All Star Lo x Reigning Champ 73 ; Asymmetrical All Star Ox & One Star Ox x Number (N) ine 75 ; Chuck Taylor All Star Clean Crafted x Offspring 62-63 ; Chuck Taylor All Star TYO Custom Made Hi x Mita Sneakers 65 ; Knitted Auckland Racer 72 ; Pro Leather & Auckland Racer x Aloha Rag 71 ; Pro Leather & Ox x CLOT 70 ; Pro Leather x Jordan Brand 74 ; Pro Leather Mid & Ox Footpatrol 68 ; Pro Leather Mid & Ox x Bodega 66 ; Pro Leather Mid & Ox x Patta 69 ; Pro Leather Mid x StüssyNew York 67 ; (Product)RedChuck Taylor All Star Hi 64 ;x Missoni 72
Crooked Tongues 8, 11, 13, 27, 38, 77, 80, 81, 82, 87,240, 248
Cruz, Andy 87
Cruz, Eddie 245
CYC Design Corp. 73

Dalek 114
Dassler, Adi 18, 39, 174
Dassler, Rudolf 174
David Z 50, 51, 242
Dee & Ricky 226, 238
Def Jam 237
DMX TECHNOLOGIE (Reebok) 190
DQM 120, 121
Dr Dre 178
Drury, Ben 118, 123, 133, 147, 249
DSM (Dover Street Market) 211

Eminem 130, 131
Erving, Julius 68
ESPO 135
Etcheverry, Vincent 44
EXPANSION 195

Fab 5 Freddy 178
Fiasco, Lupe 202-203
Fieg, Ronnie 47, 49, 50, 51, 77, 85, 186, 242
FILA 227 ; Trailblazer x Footpatrol 233
Flores, Sam 16
Footlocker 169
Footpatrol 9, 11, 16, 22, 58, 61, 68, 84, 132, 194, 229, 233, 237, 240, 243, 244
Forever Fresh 178
Fragment Design 97, 241
Frazier, Walt « Clyde » 177, 181
Fujiwara, Hiroshi 97, 110, 241
Futura 8, 123, 147, 208, 209, 249

Gallagher, Noel 40
Gee, Huck 114
Gibbs, Chris 128
Gimme 5 133
GOODENOUGH 133
Groening, Matt 208

Hanon Shop 53, 86, 243
Hardaway, Penny 139
Haring Keith 193
Hatfield, Tinker 96, 97, 100, 110, 157, 158, 170, 241
Heard, Neal 184
Herr, Josh 45
Hideout, The 109
Hikmet 82, 248
Hill, Cypress 241
Horvath, David 114
House of Hoop 169
HTM 97, 107, 110, 111, 136, 152, 240, 241
Hyde, Karl 16
Hypebeast 189

I.T 210, 211, 244
Innovation Kitchen (Nike) 98
Iron Maiden 202
Iverson, Allen 190, 200

Jackson, Bo 151
Jacobs, Marc 203, 204
Jarvis, Shaniqwa 32
Jay-Z 191
Jeter, Derek 159
Joker Brand Clothing 241
Jordan, Michael 74, 158, 159, 165, 170, 172
JUICE 70, 205, 246

Kakiage, Hiroshi Kirk 195
KAWS 119, 208, 209, 245
Kenzo 210
Kicks Hawaii 72
Kidrobot 114, 228
KITH 49, 50, 51, 85, 186, 242
Knight, Phil 96
Kokscht, Daniel 33
Kozik, Frank 114
Kuraishi, Kazuki 42

Lacoste 89, 226, 246 ; Missouri x Kidrobot 228
LaCrate, Aaron 94
Law, Chris 82
Le Coq Sportif 227 ; Éclat x Footpatrol 229
Lee, Spike 158-159, 164, 167
Leon, Humberto 210
Leyva, Jesse 129
Liberty 140, 210
Lim, Carol 210
Lover, Ed 178
Lozano, Sergio 124
Luedecke, Tom 98
Lyons, Kevin 133

Marcopoulos, Ari 221
Markie, Biz 236
Marvel 199, 230
McFetridge, Geoff 143, 209, 245
Messi, Lionel 44, 45
Metallica 202
Missoni 61, 72
Mita Sneakers 29, 35, 48, 61, 65, 88, 91, 124, 177, 183, 192, 194, 195, 196, 246
Miyashita, Takahiro 75
MJC, La 89, 92

INDEX

N.E.R.D. 130, 146
Neckface 208, 209
Neighborhood 28, 231
New Balance 8, 76-95, 184, 242, 243, 245, 247, 248; CM1500 & MT580 x La MJC x Colette x Undefeated 92; CM1700 x WHIZ LIMITED x Mita Sneakers 91; M576 x Footpatrol 84; M576 x House 33 x Crooked Tongues 8, 87; M577 Black Sword x Crooked Tongues & BJ Betts 80; M577 x SNS x Milkcrate 94-95; M1300 Salmon Sole x Ronnie Fieg 85; M1500 Blackbeard x Crooked Tongues & BJ Betts 81; M1500 Chosen Few x Hanon 86; M1500 Toothpaste x Solebox 93; M1500 x Crooked Tongues x Solebox 82; M1500 x La MJC x Colette 89; ML999 Steel Blue x Ronnie Fieg 85; MT580 10th Anniversary x RealmadHECTIC x Mita Sneakers 88; MT580 x RealmadHECTIC 90; x Offspring 78-79; x Solebox Purple Devils 83
Nigo 191, 197, 226, 244
Nike 8, 9, 24, 89, 96-157, 158, 164, 167, 169, 226, 240, 241, 242, 244, 245, 246, 247, 249; Air 180 x Opium 126; Air Burst x Slim Shady 130; Air Classic BW & Air Max 95 x Stash 134; Air Flow x Selfridges 103; Air Foamposite One Galaxy 8, 139; Air Footscape Woven Chukka x Bodega 108; AirFootscape Woven x TheHideout 109; Air Force 197, 134, 136, 137, 226,240, 241; Air Force 1Foamposite Tier Zero 138;Air Force II x ESPO 135; AirForce 180 x Union 128;Air Huarache ACG MowabbPack 100; Air HuaracheLight x Stüssy 101; Air Mag156-57; Air Max x Patta 97,116-117; Air Max 1 NLPremium Kiss of Death x CLOT 115; Air Max 1 x Atmos112; Air Max 1 x Kidirobot x Barneys 114; Air Max 1 x Slim Shady 131; Air Max 90 Current Huarache x DQM121; Air Max 90 CurrentMoire Quickstrike 122; Air Max 90 Tongue n' Cheek x Dizee Rascal x Ben Drury 118; Air Max 90 x DQM Bacons 120; Air Max 90 x KAWS 119; Air Max 95 Prototype x Mita Sneakers 124; Air Max 97 360 x Union One Time Only 129; Air Neon Pack x Dave White 125; Air Presto Hawaii ÉDITION x Sole Collector 106; Air Presto x Hello Kitty 106; Air Presto Promo Pack Earth, Air, Fire, Water 104-105; Air Presto Roam x HTM 107; Air Rift x Halle Berry 99; Air Stab x Footpatrol 9, 132; Air Stab x Hitomi Yokoyama 133; Air Trainer II SB x Supreme 151; Air Woven Rainbow x HTM 110, 241; Air Yeezy x Kanye West 154-155; Blazer x Liberty 140; Cortez Premium x Mark Smith & Tom Luedecke 98; Dunk ÉDITIONs 146; Dunk Pro SB What the Dunk 9, 148-149; Dunk SB ÉDITIONs 123, 147; Flyknit x HTM 152-153, 241; Free 5.0 Premium & Free 5.0 Trail x Atmos 102; Jade 113; Lunar Air 180 ACG x Size? 127; Lunar Chukka Woven Tier Zero 111; Lunarwood+ x Wood Wood 145; Safari 112; SB Blazer x Supreme 141; Tennis Classic AC TZ Museum x CLOT 144; Vandal Supreme Tear Awa x Geoff McFetridge 143; Vandal x Apartment Store Berlin 142; Viotech 113; x Ben Drury 123; Zoom Bruin SB x Supreme 150
Nitraid 136, 171
Nitro Microphone Underground 171
No6 30, 37, 40
No74 30, 37, 40

O'Neal, Shaquille 190
Offspring 62, 78, 79
oki-ni 31
Onitsuka, Kihachiro 46
Onitsuka Tiger 46, 48
Opening Ceremony 210
Oriol, Estevan 12, 241

Packer Shoes 236
Parker, Mark 97, 110, 241
Parra 116
Patta 34, 47, 59, 61, 66, 69, 97, 116, 194, 235, 240, 247
Paul, Chris 159
Phillips, Chad 114, 228
Pony 226; M100 x Dee & Ricky 238-239; Slam Dunk Vintage x Ricky Powell 237
Powell, Ricky 16, 226, 237
PRO-Keds 226; 69er Lo x Biz Markie 236; Royal Lo & Patta 235; Royal Master DK Hunting Plaid x Woolrich 234
PROPER 57, 213
Public Enemy 146, 218
Puma 174-189, 242, 245; Blaze of Glory x Hypebeast 189; Clyde x Mita Sneakers 177; Clyde x Undefeated Gametime 180; Clyde x Undefeated Snakeskin 175 , 181; Clyde x Yo! MTV Raps 174, 178-179; Dallas Bunyip Lo x Sneaker Freaker 188; Disc Blaze LTWT x Beams 187; Disc Blaze OG x Ronnie Fieg 186; R698 x Classic Kicks 184; States x Solebox 176; Suede Classic x Shinzo Usain Bolt 175, 182; Suede Cycle x Mita Sneakers 183; x Shadow Society 176, 185

Pump TECHNOLOGIE (Reebok) 190
Pushead 147

Quinones, Lee 16

Rascal, Dizzee 118, 123, 249
realmadHECTIC 88, 90
Reebok 190-201, 245, 247, 248; Classic Leather Mid Strap Lux x Keith Haring 193; Classic Leather x Mita Sneakers 192; Court Force Victory Pump x Alife The Ball Out 190, 198; Ex-o Fit x CLUCT x Mita Sneakers 196; Ice Cream Low x Billionaire Boys Club 197; Insta Pump Fury x Mita Sneakers 195; Pump Omni Lite x Marvel Deadpool 199; Pump Omni Zone LT x Solebox 190, 201; Question Mid x Undefeated 200; Workout Plus 25th Anniversary ÉDITIONs 194
Reigning Champ 61, 72, 73
Rollins, Jimmy 159
Run-DMC 10, 19, 237

SA studio 241
sak 72
Sanctiond Automotive 241
Saucony 226, 242, 243, 249; Shadow 5000 x Bodega Elite 232
Scott, Jeremy 11, 42, 43
Sebago 89
Selfridges 103, 210
SEVENTYFIVE 52
Shadow Society 176, 185
Shinzo 175, 182
Size? 125, 127
Slam Jam 55
Slim Shady 130, 131
Smith, Mark 98
Sneakersnstuff 56, 94, 247
Sole Collector 106, 172
Solebox 77, 82, 83, 93, 176, 190, 201, 248
Song Jiang 80
SPRMRKT 237
Stash 8, 130, 134, 136, 208, 209
Stone Roses 16
Stüssy 66, 67, 101, 128, 223, 244, 247, 249
Supra 89
Supreme 73, 136, 141, 143, 149, 150, 151, 203, 211, 214, 216, 218, 221, 225, 245
Sweeney, Will 223

Thaler, Markus 8, 27, 38, 39, 44, 45
Tribe Called Quest, A 160
Twist 26
Tyerman, Wes 22

U.N.K.L.E. 147, 249
Undefeated 11, 12, 21, 42, 92, 128, 146, 175, 180, 181, 190, 200, 213, 245
Underworld Tomato 16
Union 16, 128, 129
Upper Playground 16

Vans 202-225, 241, 244, 245, 246, 249; Authentic Pro & Half Cab Pro x Supreme Campbell's Soup 214; Authentic Pro x Supreme x Comme des Garçons SHIRT 211; Authentic Syndicate x Mr Cartoon 219; Classic Slip-on x CLOT205; Classic Slip-on Lux x Marc Jacobs 204; Era x Alakazam x Stüssy 223; Era x Colette x Cobrasnake215; Half Cab 20 x Supremex Steve Caballero 225; Sk8 x Supreme Public Enemy 218; Sk8-Hi & Era x Supreme xAri Marcopoulos221; Sk8-Hi x Supreme x BadBrains 202, 216-217; Syndicate Chukka Lo x Civilist 222; Syndicate x WTAPS 206-207; Syndicate x WTAPS No Guts No Glory Sk8-Hi 220; Vault Era LX x Brooks 224; Vault Major League Baseball Collection 212-213; x Bad Brains 217; x Kenzo 210; x The Simpsons 203, 208-209

Ward, Mark 38
Warhol, Andy 214, 221
West, Kanye 97, 154, 246
White, Dave 125, 159, 172-173, 242
WHIZ LIMITED 91
Wilkins, Dominique 165
Williams, Pharrell 146, 191, 197
Wood Wood 145
Woolrich 234
WTAPS 203, 207, 220

Yamamoto, Yohji 11
Yan, MC 115
Yokoyama, Hitomi 133

Zozotown 223